EL EXITO A LA MANERA CORRECTA

Diez llaves para abrir la puerta al éxito financiero

Brandon Velásquez

Contenido

Primera parte
Capítulo 1 9

Capítulo 2 19

Capítulo 3 31

Capítulo 4 41

Capítulo 5 53

Segunda parte
Capítulo 6 69

Capítulo 7 79

Capítulo 8 93

Capítulo 9 105

Tercera parte
Capítulo 10 127

Capítulo 11 137

Capítulo 12 155

Capítulo 13 165

PRIMERA PARTE

Capítulo 1

El éxito a la manera CORRECTA

Se sentó frente a la pantalla de su computadora de 30 pulgadas, escribiendo rápidamente las notas que no quería olvidar. La sala de la oficina era grande y espaciosa, con un gran escritorio de caoba en medio. Algunos cuadros y diplomas colgaban de las paredes, y había una doble ventana detrás de él cuya vista daba a una ciudad de edificios altos, dejando en claro que la oficina estaba en un piso superior.

La habitación estaba tenuemente iluminada por una pequeña lámpara que estaba ubicada junto a la computadora, como si la tarea en cuestión fuera un secreto que nadie debería saber. El hombre de mediana edad se miraba complacido. La pantalla de la computadora mostraba currículos y fotos del perfil de tres hombres (conejillos de indias para ser más exacto) siendo examinados para un proyecto futuro. Se pasó la mano por su cabello gris y consideró su próximo paso. Faltaban pocos dias para completar su misión, pero estaba justo a tiempo. El silencio se rompió cuando leyó los nombres de sus sujetos de prueba:

—Richard Hamilton, Joseph Campos, y William Logan, ustedes no tienen idea en qué se van a meter.[1]

Gracias a Dios que es viernes, era lo que pasaba por la mente de todos. El horario laboral finalmente había terminado, y los ciudadanos, arduos trabajadores, se estaban despidiendo unos de otros. Tres hombres, que habían evitado la hora pico, estaban colgando sus sacos en un perchero cercano y cada uno se aflojaba la corbata mientras caminaban hacia una mesa en el bar irlandés McIntyre. Cuando la orden de cerveza llegó a su mesa, alzaron sus vasos:

—Un brindis por los tres hombres más afortunados en ir al Retiro Dorado. —Rick, el primero en reaccionar, soltó una carcajada que podía llamar la atención de todos allí, pero la música estaba a todo volumen y todos estaban distraídos con sus propias celebraciones.

—¿Contento, Rick? —dijo el segundo, Will, con una sonrisa.

---

1 Nota del traductor: El texto original es en inglés y todos los personajes son estadounidenses; solo uno es latino (Joseph Campos).

Rick respiro profundo para calmarse. —Esto va a estar fenomenal. ¿Sabes eso, verdad, Joe? —preguntó, mientras se arremangaba las mangas de su costosa camisa.

El tercer compañero de trabajo, un hombre de tés oscura, asintió, —Sí, mi amigo, así es.

Will asintió también en acuerdo, mientras se acomodaba los lentes. —Esto va a ser una gran experiencia; al fin vamos a descubrir de qué tratan estos retiros de trabajo a los que otros han asistido.

Rick movió su cabeza en desacuerdo. —Vamos Will, lo haces sonar tan aburrido. Todos los que han asistido regresan con algo extraordinario: un viaje a Hawái, una tarjeta de crédito con mucho dinero para gastar, y otras cosas como esas.

Will encogió los hombros, —Bueno, supongo que ganar premios como esos seria genial también, pero quiero saber lo que realmente pasa allí. Eso es lo que más me llama la atención—. Rick solo sonrió y tomó otro trago de su cerveza.

Joe compartió su opinión, —Te comprendo, Will. Descubrir lo que el jefe hace con sus empleados en ese retiro va a ser interesante.

—Tal vez tiene una cámara de tortura, ¡o les lava el cerebro para hacerlos mejores esclavos! —sugirió Rick con una sonrisa pícara.

Los tres se rieron del comentario absurdo de Rick, aunque Joe lucía un poco preocupado al considerar la validez de tal declaración. —No le prestes atención —dijo Will. —Rick ha visto demasiadas películas de terror, que han trasteado su mente ya trastornada—. Joe soltó un suspiro de alivio.

Rick se rio y respondió, —Will tiene razón de mi mente trastornada, pero eso es lo que me ha llevado hasta aquí en el negocio.

—Estar un poco loco está bien, pero tú te pasas en esa categoría Rick —dijo Will, mientras ponía su mano sobre el hombro de Rick para sacudirlo levemente.

Los tres disfrutaron el resto de la noche hasta que un teléfono móvil sonó. Joe rápidamente contestó: —Sí, mi amor. Ya pronto llego a la casa.

Rick estaba a punto de hacer un comentario sarcástico, cuando notó que Will estaba escribiendo un texto en su celular y asumió que la celebración había llegado a su fin. —Está bien muchachos, váyanse a sus casas. No quiero escuchar después cómo se metieron en líos con sus esposas por llegar tarde—. Joe y William ya estaban en la puerta de salida antes de que Richard Hamilton terminara su oración. Él se quedó sentado en la mesa unos minutos más mientras terminaba su cerveza; de allí se levantó, dejó suficiente dinero sobre la mesa para pagar las bebidas de los tres y se fue.

Melody Logan se sentó a la mesa del comedor mientras leía lentamente la carta dirigida a su esposo. Quería entender la emoción de William, pero sobre todo estaba más cautelosa.

Señor William Logan:

Usted ha sido seleccionado para participar en el centro de retiro Conrad este lunes. Esté preparado para una estadía de cinco noches hasta el día sábado. Por favor vaya con una mentalidad dispuesta a lo que va a realizar allí. Más instrucciones se le estarán dando el día lunes por la noche a su llegada.

El autobús sale para el centro de retiros a las 5:00 p.m. ¡No llegue tarde!

Atte. Sr. Bryan Conrad

Director Ejecutivo de la Corporación Recursos de Vida

—Y bien, ¿qué te parece? —dijo William rompiendo el silencio, con una mirada expectativa a su esposa mientras se acercaba a ella por la espalda.

Ella se levantó y se dio la vuelta para abrazarlo. —¡Son noticias excelentes! Aquí tienes la oportunidad de hacer una gran impresión, y será mejor que lo hagas.

William dio un paso hacia atrás y asintió. —Eso es lo que pienso hacer—. La joven pareja continuó la conversación en el dormitorio de su casa de un piso, que cariñosamente llamaban su hogar.

El fin de semana había terminado y de repente, alarmas estaban sonando a las 5 a.m. para la población trabajadora en general. Mientras la gran mayoría se preparaban para ir al trabajo, William Logan se tomó su tiempo en levantarse y prepararse una taza de café. Hoy era el gran día para ir al famoso retiro— del que la mayoría de los compañeros de trabajo regresaban con grandes premios y una pequeña muestra de aprecio de parte de su jefe. Rick y Joe habían decidido tomarse el día libre también; luego se juntarían en el estacionamiento del trabajo donde los estaría esperando el autobús. No estaba muy claro cuánta comunicación tendrían con el mundo exterior. La única instrucción que se les había dado decía que se olvidaran de cualquier cosa que los distrajera de lo que estaban a punto de hacer. Le dirían adiós a familiares y amigos hasta el día sábado por la mañana—cuatro días separados de sus rutinas diarias.

Dieron las cinco en punto. Richard Hamilton llegó con una playera polo de marca, pantalón de lona, y tenis. Joseph Campos, un poco mas formal, llevaba una camisa cuadriculada. William Logan también llevaba una playera de polo, pero sin el nombre de marca sobre su pecho. Los tres de pie permanecían en silencio—cada uno con una maleta de mano pequeña y un maletín sobre sus hombros donde llevaban su computadora portátil—cuando una limusina negra se detuvo, y el conductor salió.

—Me llamo Jeff, seré su conductor para esta noche. —Los rostros de confusión hicieron que Jeff se detuviera de guardar las maletas en el baúl y preguntó—: ¿Hay algún problema, caballeros?

—Estábamos esperando un autobús —explicó Rick. Luego sonrió, abrió la puerta y entró; Will y Joe entraron después de él. Jeff sonrió y cerró la puerta detrás de ellos.

La limusina partió y durante dos horas, la limusina recorrió una carretera curvada y estrecha que alejaba más y más a los hombres de la civilización. El sol ya se había puesto cuando llegaron a su destino, pero una luna llena alumbraba el paisaje, permitiendo que William pudiera ver por la ventana a lo lejos una pequeña cabaña; estaban rodeados por árboles.

Rick se asomó a la ventana y frunció la frente. —¡Oh no!, si esto va a ser un tiempo de compañerismo masculino para llegarnos a conocer, mientas pescamos, cazamos y cantamos canciones alrededor de una fogata en la noche, no me va a ir muy bien.

Joe sonrió mientras salía del carro. —¡Yo quiero escoger la primera canción!

17

—Mientras no tengas '*Kum ba ya*' en la lista, creo que puedo sobrevivir —dijo Will, sonriendo también.

—Conociendo a Joe, probablemente va a empezar con '*La Cucaracha*' —comentó Rick jocosamente. Los tres permanecían de pie mientras el chofer sacaba las maletas del baúl, colocándolas sobre el piso. —Supongo que ahora el mayordomo nos va a acompañar a la entrada —bromeó Rick mientas la limusina se iba.

—James no se encuentra el día de hoy —dijo una voz familiar. Los tres hombres quedaron perplejos al ver el hombre de cabello gris y alto que salió por la puerta principal. El Sr. Bryan Conrad estaba vestido de manera tan informal como los demás, pero era inconfundible su presencia autoritaria.

—Uh, perdón Señor... —empezó a decir Rick, pero el Sr. Conrad con un ademán de mano lo detuvo.

—Esta semana es importante, pero no he trasladado su espacio de trabajo aquí —dijo el jefe mientras estrechaba la mano de cada uno—. Quiero que sean ustedes mismos y tomen las cosas con calma. Hablaremos del proyecto después de la cena. Bienvenidos, pasen adelante. —Los tres hombres recogieron sus maletas del suelo y se encaminaron a la cabaña; el Sr. Conrad cerró la puerta tras ellos. El proyecto había iniciado.

Capítulo 2

El éxito a la manera CORRECTA

—**P**escado con papas fritas —murmuró Rick, mientras los cuatro hombres se sentaban alrededor de la mesa de madera en un comedor acogedor. La comida era apetecible y abundante; el chef había preparado una variedad de vegetales para complementar el plato. Bocadillos integrales y un jarrón de té frio se encontraban en la mesa también.

—Supongo que el reparto de pizza está descartado del menú —dijo Rick con un tono sarcástico.

—A mí me gusta esta comida —dijo Joe tomando un puñado de papas fritas.

—No se preocupen —respondió el Sr. Conrad—, no padecerán de hambre. Tendrán variedad de comida para hacerlo mas placentero; y el sábado por la mañana tendrán un desayuno tipo bufé.

—Es muy amable de su parte hacer esto, Señor —dijo Will.

El Sr. Conrad asintió, —Y por favor siéntanse en libertad de llamarme Bryan durante su estadía aquí. Yo los llamaré por sus apodos, si no les molesta.

—Me parece bien, yo soy Rick; ellos son Joe y Will —dijo Rick—. ¿Significa que usted va a estar aquí todo el tiempo?

—No —respondió el Sr. Conrad con una risa entre dientes—, solo hasta que se acomoden. Regreso a la ciudad hoy en la noche, pero regresaré el sábado en la mañana para anunciar cuáles serán sus premios—. Los tres sonrieron al escuchar que podrían recibir alguna recompensa.

Sin embargo, Will quería saber un poco más. —¿Esto significa que hay algún trabajo que realizar? ¿Y que será a traves de los resultados que recibiremos alguna compensación?

El Sr. Conrad sonrió. —Así es. Los tres son excelentes trabajadores, pero este retiro es para evaluar su potencial de avance dentro de la empresa; quiero ver si están listos para avanzar en sus carreras hacia el siguiente nivel. Los resultados varían, pero todos ganan algo.

—¿Otro nivel, quiere decir un aumento? —preguntó Joe.

—Puede ser —respondió el Sr. Conrad—. Todos los que han venido a este retiro regresan con una medida de claridad, o iluminación por decirlo así. Algunos deciden quedarse donde están; otros hacen mejoras, lo que puede incluir una promoción y aumento. Pero esto depende de cada persona.

Rick se sirvió mas té frio del jarrón. —¿Por eso recibiremos ciertas instrucciones, verdad? Mmm, tres hombres solos en una cabaña—suena como la trama de una película de terror—. Los otros se rieron.

—Van a tener todo lo que necesiten. Alguien siempre vendrá por la mañana para prepararles el desayuno. Tendrán comida en la alacena de la cocina para que se puedan preparar su propio almuerzo y cena.

Joe frunció la frente al escuchar la última parte de las indicaciones.

Will sonrió a su compañero de trabajo. —¿Me imagino que Sandy es la que regularmente te prepara los alimentos? Pero aquí estás solo, mi amigo.

—¡Yo no! Yo le pagaré a Joe para que me prepare la comida —dijo Rick seriamente. Will y Joe se rieron sabiendo que mentía. —Lo sé, lo sé, pero valía la pena intentarlo.

Cuando todos habían acabado con sus alimentos, el Sr. Conrad preguntó: —¿Están listos para el tour? — Cuando los hombres se levantaron y siguieron a su jefe a uno de los dormitorios, él dijo— El diseño de la cabaña no es muy moderna, pero dentro de cada una de sus habitaciones hay una pieza de equipo de alta tecnología, parte de nuestra investigación mas reciente, de la que yo les quiero enseñar. —La habitación a la que entraron estaba decorada simplemente, con un clóset de madera, una mesa de noche que se ubicaba cerca de la cama tamaño queen, y una pequeña sala ubicada en una esquina. Mientras los hombres observaban la habitación, el Sr. Conrad dirigió su atención al sofá—: Noten los auriculares y los controles del apoyabrazos.

—¿Es eso un equipo RV? —preguntó Will.

—La Realidad Virtual es una gran herramienta que los puede llevar a cualquier lugar que deseen—y todo eso mientras están sentados en su sofá —dijo el Sr. Conrad mientras Joe corría al sofá para ponerse los auriculares virtuales—. Esta semana necesitarán completar 10 ejercicios virtuales. Cada vez que completen un ejercicio, recibirán una llave que abrirá una puerta para terminar el programa. Su recompensa final dependerá de cómo logren los objetivos.

—¿Pensé que no íbamos a tener ningún contacto con el mundo actual? —preguntó Rick.

—Y así es: No tendrán llamadas telefónicas, internet

o cualquier otro tipo de conexión. El equipo RV viene con un dispositivo de memoria USB que explicará cada ejercicio, y los resultados serán grabados en un disco duro para que yo pueda tener acceso a ellos. El equipo está configurado para activarse de manera específica en dos horarios: las nueve en punto de la mañana y las siete en punto de la noche. No dejen de conectarse a la hora programada o se retrasarán en un ejercicio y se arriesgarán a perder el premio.

—Dos ejercicios al día, ¿no es eso ocho ejercicios en total? —preguntó Will.

El Sr. Conrad asintió. —Ya has completado la primera tarea. Era una simple: Actúen naturalmente y sean ustedes mismos. El último ejercicio evaluará algo que no puede ser examinado con el equipo RV. —Cuando él vio la inquietud en el rostro de Joe, dijo—: No se preocupen por nada de esto. Completen cada tarea tal y como vaya apareciendo, y manténganse en lo básico. No están en el trabajo, así que relájense. Para que esto funcione, necesito que sean honestos y transparentes.

Saliendo de la habitación, dirigió a los hombres a la sala. —El resto del tiempo lo pueden usar como quieran. Esta habitación esta equipada con todo tipo de entretenimiento—juegos, películas, libros— que podrán descargar a su computadora portátil. Considérenlo como un bono extra.

—Una semana lejos de la rutina diaria —suspiró Joe con felicidad.

—Una sala de entretenimiento. —Rick estaba emocionado. El Sr. Conrad no estaba bromeando: el centro de entretenimiento era un paraíso para nerds, definitivamente un área de pura diversión. Los tres hombres se vieron entre sí y sonrieron sabiendo que iban a pasar bastante tiempo en esta habitación. En ese momento, el reloj de la pared dio las 10 en punto; el tiempo había volado.

—Debo irme ahora, pero confío que se sentirán como en casa —dijo el Sr. Conrad.

—Muchas gracias Sr. Con…, quiero decir, Bryan —dijo Will un poco inseguro.

El Sr. Conrad sonrió. —Eso estuvo mejor; quizá la próxima vez que me vean será mas fácil para ustedes decir mi nombre. —Se despidió de cada uno con un apretón de manos, y salió hacia donde estaba Jeff esperándolo junto a la limusina negra.

Cuando la limusina se fue, Rick soltó un grito de emoción, —¡Me siento como un niño otra vez!

—Eres un niño, un niño grande —dijo Will. Los tres cerraron la puerta de la cabaña y prosiguieron a ir a sus habitaciones a desempacar. Rick chequeó su computadora portátil, Joe se tiró sobre la cama para probar el colchón. Will sacó su tableta para escribir su primera entrada de diario sobre el retiro, incluyendo una breve descripción de la cabaña, la cena, incluso el transcurso del viaje en la limusina a través del bosque. Luego escribió las instrucciones dadas por su jefe: Debemos completar diez ejercicios. También debemos colectar diez llaves y abrir diez puertas para ser compensados con los premios. Y con estas palabras concluyó:

Llave #1: Sé tú mismo.

Will guardó la información y colocó la tableta sobre la mesa. Se preguntaba lo que sus compañeros estaban haciendo, cuando un fuerte golpe en la puerta lo asustó.

—Hey Will, ¿quieres ir a ver los juegos que hay? —dijo Rick— ¿o ver una película?

Will abrió la puerta y siguió a sus amigos a la sala de entretenimiento.

Se tomaron media hora en decidir, pero eventualmente, prendieron la PlayStation y jugaron varios juegos, compitiendo uno contra el otro. El tiempo voló, y como si nada ya era la media noche.

—¡Oh!, creo que ya debo irme a la cama —dijo Will mientras miraba el reloj en la pared.

Joe estuvo de acuerdo. —La cama es muy cómoda. Dormiré como un bebé.

Rick se veía un poco decepcionado, pero no quiso retar a sus compañeros. —Está bien muchachos, de plano que tenemos que estar listos para el primer ejercicio a las nueve en punto. Allí los veo en la mañana.

Cada uno regresó a su habitación para prepararse para el siguiente día, pero eso no les impidió tomar prestado discos y memorias USB del centro de entretenimiento. Joe se sentó en el sofá y tomó su computadora portátil para leer sobre los automóviles mas rápidos del mundo. Había fotos, información básica de cada automóvil, y algunos videos de pruebas de conducción y carreras.

Rick abrió su computadora portátil, tomó un USB de mujeres exóticas de diferentes países y concursos de belleza; eran mujeres muy atractivas.

Will había revisado la sección de libros y había encontrado un título que alguien le había recomendado. Pero en poco tiempo, Will dejó de leer y decidió que era hora de apagar las luces.

Fuera de la cabaña, una figura masculina observaba mientas se apagaban todas las luces y todos se acomodaban para dormir.

Encendió la luz de su reloj digital para ver la pantalla. *2:15 a.m. El Sr. Conrad tenía razón* —pensó para sí mismo—. *Los niños con juguetes siempre se quedan despiertos hasta tarde. Las siete en punto habría sido demasiado temprano.*

El anciano se alejó de la cabaña, caminando hasta llegar a un tráiler en un pequeño espacio abierto. Entró al tráiler y se trasladó a la parte trasera donde una pantalla plana gigante estaba colocada sobre un escritorio. El sistema de cámaras de seguridad monitoreaba cada habitación, el comedor, la cocina y la sala.

El asistente del Sr. Conrad se reclinó sobre su silla y se sirvió una taza de café. *Sé mis ojos y oídos por cinco noches* —se dijo a sí mismo mientras repetía las palabras de su jefe—. *Asegúrate de que los chicos con sus juguetes se mantengan en línea.* El vigilante nocturno se acomodó en su silla, y de allí tomó una dona de la caja que estaba cerca de él.

El éxito a la manera CORRECTA

Capítulo 3

Will abrió sus ojos y vio que el sol ya había salido y los pájaros estaban cantando. Buscando sus lentes sobre la mesa de noche, tomó su reloj de mano para ver la hora: 7:20 a.m. Nada mal, pensó, a pesar de que se había acostado mucho mas tarde de lo normal, se había acostumbrado a despertarse temprano. Se levantó lentamente, sabiendo que no había necesidad de apresurarse. Entró al baño, lo primero que vio fue el espejo, en él se reflejaba un hombre con pelo café claro y ojos verdes detrás de sus lentes redondos y pequeños sobre su cara. Minutos después, salió de la habitación para ver si alguien más se había unido a la tierra de los vivientes. Le agradó ver que la mesa del comedor ya estaba lista para tres, con una jarrilla de café en medio.

—Buenos días, Señor. —La voz era profunda y carrasposa.

Will vio a un hombre de unos 70 años salir de la cocina con una cesta de pan tostado y mermelada. —Puede comenzar con esto. Cuando los demás le acompañen, serviré un desayuno apropiado.

Will asintió y alcanzó la jarrilla de café. —Me llamo William —dijo—, ¿Y usted es?

—Yo soy Frederick —contestó el caballero sin detenerse—. Estaré en la cocina.

—Así que Fred es nuestro mayordomo aquí. —Will se dio la vuelta para ver a Rick entrar al comedor y servirse una taza de café.

—Necesito esto —dijo, mientras tomaba un trago.

—Y Joe, ¿ya se levantó?

Rick negó con la cabeza. —Creo que no está acostumbrado a jugar con compañeros hasta altas horas de la noche.

—¡Hola, amigos! —llegó Joe, viéndose mucho más alerta que los demás. Él ya había tomado una taza de café.

—Bueno, parece que toda la banda ya está aquí; así que a comer —dijo Rick mientras se sentaba.

Los demás lo acompañaron, esperando a que Frederick anunciara el menú del día. Momentos después, cada uno estaba comiendo huevos revueltos, tocino, frijoles y pan tostado.

Después del desayuno, los hombres se pararon, le dieron las gracias a Frederick, y se dirigieron a la sala.

—Creo que no nos queda mucho tiempo antes que empiece nuestro primer ejercicio —dijo Will.

—Apenas son las ocho; yo voy a explorar un poco más —dijo Rick, viendo entre las colecciones de CDs y DVDs, y otro equipo electrónico. Momentos después, se detuvo al ver un paquete que parecía como si nunca hubiera sido abierto. —¿Qué es eso? —preguntó mientas se acercaba al sofá donde se ubicaba el paquete. Se sentó, rompió la cinta del empaque, y sacó otro auricular de RV similar a los que ellos tenían en sus habitaciones. Solo que este modelo tenía cables que se conectaban al sofá, como si fuera una sola pieza de equipo. Rick lo instaló y lo prendió.

—Y, ¿qué ves? —preguntó Joe ansiosamente.

Rick estaba en silencio por un rato, interesado en lo que estaba viendo. Un momento después, lo apagó. —Muchachos, no van a creer esto. —Rick no podía dejar de sonreír.

—¿Qué es? —preguntó Will, ahora intrigado.

—Éste es un tipo de programa de software diferente a cualquier cosa que he visto —comentó Rick.

—¿Qué es? ¿Algún secreto obscuro del Sr. Conrad, alguna tecnología oculta? —preguntó Joe, quien se estaba emocionando.

Rick se rio. —No, amigo, nada obscuro o secreto. Solo un poco de diversión adulta. No me sorprende que Bryan tenga algo así como entretenimiento.

Will frunció la frente en decepción, esperando algo mejor que «Diversión adulta». —Bueno, tú disfruta de tu porno mientas yo me preparo para el primer ejercicio —dijo.

—Pero no es porno, en realidad —respondió Rick—. Es parecido a una Señorita de compañía sofisticada con diferentes funciones. Escoges un programa específico de tres diferentes modelos.

—¿Modelos de concurso de belleza? —preguntó Joe.

—Bueno, ese tipo de modelos también —respondió Rick—. Pero no estaba haciendo nada inapropiado. Solo estaba interactuando con ella, y me estaba dando un tour de la casa en la que yo aparecí.

—Está bien, casanova —dijo Will—. Joe y yo somos hombres casados, aun cuando tú no hayas encontrado a tu alma gemela.

—¿Y tú crees que interactuar con una modelo en la RV es engañar a tu esposa? —Joe lucía sorprendido.

Will ignoró a su amigo y regresó a su habitación.

Rick dejó el equipo. —Tenemos bastante tiempo para explorar este programa —le dijo a Joe—. Preparémonos para el primer ejercicio. —Y ambos hombres salieron de la sala.

Jim, el vigilante anciano, se sentó frente a la pantalla de seguridad. Alguien tocó la puerta del tráiler, y Roy, su colega mas joven, entró.

—Vamos, viejo, descansa. Yo me encargo de aquí en adelante.

Jim se rio mientras se levantaba de la silla para dejar que su compañero tomara su lugar. Roy vio la pantalla grande justo a tiempo para ver a uno de los hombres probar el equipo RV en la sala.

—Así que encontraron a las chicas —dijo—. ¿Cuánto apuestas a que van a pasar más tiempo probando *ese* programa que cualquier otra cosa en la sala? —El anciano se detuvo antes de salir del vehículo, y consideró su respuesta. El joven insistió: —¿Cuánto quieres apostar?

Jim pensó por un momento, pero decidió que no valía la pena el riesgo. —No pienso perder dinero contigo.

—Te lo haré mas fácil —dijo Roy—. Escoge a la persona que crees que va a usar el programa cinco veces o menos, y si tienes razón, ganas la apuesta.

—Cincuenta dólares a que el hombre con lentes lo usará cinco veces o menos. El presumido de pelo rubio lo usará como loco; el latino también lo usará bastante —dijo Jim.

—Trato hecho. —Se dieron la mano, y el anciano se fue. Roy se dirigió hacia el refrigerador y sacó una bebida. Se sentó en la silla y destapó su bebida—. Al fin, podré anticipar un poco de diversión.

Rick vio su reloj y notó que todavía tenía 20 minutos. Tenía una mirada pensativa mientras consideraba su siguiente movida. —Tengo tiempo —dijo y rápidamente se dirigió al equipo RV que estaba en la sala. Se dio cuenta que había varias memorias USB que podía probar en su equipo, así que se dirigió a su habitación. *Ni un minuto se perdió.*

Calculando su tiempo hasta el último minuto, el insertó la memoria USB en la RV de la sala; y después de echarle un vistazo a la lista de ubicaciones, Rick seleccionó la primera opción. La habitación se obscureció. Y cuando sus ojos se ajustaron, se encontró en una sala de una gran casa—una mansión, asumió él, juzgando por el amueblado.

—Bienvenido, Señor. —Una voz femenina tomó su atención. Rick se dio la vuelta para encontrar a una de las tres modelos que había visto antes en el programa. Estaba vestida con un largo vestido de satín, como si un evento importante estuviera a punto de llevarse a cabo.

Rick miró su reloj, y luego respondió: —Me llamo Rick. ¿Cómo te llamas?

—Puedes llamarme Gabrielle. Seré tu compañía por el tiempo que desees. Puedo hacer tu tiempo más placentero. —Rick sonrió a la idea. Gabrielle se sentó en un sofá e invitó a Rick para que hiciera lo mismo— pero el tiempo se estaba acabando y faltar al primer ejercicio sería pura estupidez.

—Regresaré pronto —dijo mientras salía del programa.

El éxito a la manera CORRECTA

Capítulo 4

Joseph Campos estaba ansioso por empezar; revisaba su reloj cada minuto, esperando que dieran las nueve en punto. Cuando llegó el momento, se colocó los auriculares y seleccionó el primer programa asignado. Mientras todo aparecía en pantalla, Joe se encontraba sentado detrás de un escritorio frente a una computadora. —¡Rayos!, estoy de regreso en el trabajo —pensó.

La voz del Sr. Conrad llamó su atención, y mientras hablaba, sus palabras aparecían en la pantalla. —Saludos, colega de la Corporación de Recursos de Vida. Realiza este ejercicio lo mejor que puedas; no hay una respuesta única y correcta para esta prueba. Cuando hayas acabado con el ejercicio, una llave virtual aparecerá en alguna parte de esta habitación. Úsala para abrir la puerta. Una vez hecho eso, has completado el ejercicio y se espera que estés listo para el siguiente ejercicio.

Joe asintió con la cabeza mientras leía las instrucciones, sintiéndose más tranquilo y listo para empezar.

—Se te entregará un producto (en este caso algo para perder peso) para vender, almacenar, y promover —continuó el Sr. Conrad—. Qué tipo de producto para perder peso dependerá de ti. Tú eres el dueño. En este primer ejercicio, deberás encontrar un nombre, un lema y un precio para tu producto. ¡Disfruta el proyecto y mucha suerte!

Joe se reclinó en la silla y buscó tareas específicas en el monitor de la computadora. Después de un rato, optó por algo simple: Eligió cápsulas de vitaminas para su producto. Le dio nombre y creó un lema; luego fijó un precio por botella. Cuando estaba satisfecho con el producto final, guardó el proyecto en la computadora y se recostó sobre la silla. Una gaveta de al lado se abrió, mostrando una llave convencional metálica.

—Muy bien —se dijo a sí mismo al tomarla y caminó hacia la puerta cerrada de la oficina. Introdujo la llave y le dio vuelta. El programa terminó, y Joe estaba de regreso en el sofá. Removiéndose los auriculares virtuales, se levantó y se estiró, sintiendo que había hecho un buen trabajo.

Will se sentía satisfecho con su proyecto. Siempre había querido hacer algo creativo; ahora tenía la oportunidad. Aunque un producto de pérdida de peso era algo convencional, reconoció que el aspecto de comercialización marcaría la diferencia. Se tomó su tiempo, luego completó el proyecto y lo guardó. En la esquina inferior derecha de la pantalla plana de 30 pulgadas, se abrió un pequeño compartimento y apareció una pequeña memoria USB. Él se levantó para revisar la cerradura de la puerta. Sí, esta cerradura no era convencional; necesitaría introducir la memoria USB en la cerradura. Cuando lo hizo, el programa terminó. Will se levantó y se quitó los auriculares virtuales. Se dirigió a donde estaba su tableta y abrió un documento anterior para agregar algo nuevo. Pensó sobre el ejercicio que acababa de completar y escribió:

Llave #2: Sé Creativo.

Satisfecho con el siguiente paso, él decidió tomarse un vaso de té frio y ver si los demás habían terminado. La cocina estaba vacía, así que Will tomó la oportunidad de ver qué tipos de comida había almacenada para ellos. Encontró algunas frutas y verduras enlatadas en la despensa. El refrigerador estaba lleno de bolsas de ensaladas y contenedores con frutas frescas, y el congelador tenía paquetes individuales de comida precocinada. Abrió los gabinetes de cocina con una variedad de bocadillos, dulces y salados. El Sr. Conrad había pensado en todo. Will decidió que iba a esperar a los demás antes de empezar a comer, así que se dirigió a la sala, esperando ver a Rick usando los auriculares virtuales. Para su sorpresa, la sala estaba desocupada.

—Ya veo que tú también terminaste —dijo Joe mientras entraba a la habitación con una gran sonrisa.

—No estaba seguro de qué esperar, pero todo salió bien. Me pregunto si el Sr. Conrad planea abrir otra sucursal, y estos ejercicios son su manera de probar quién es lo suficientemente bueno para trabajar allí.

Joe se sentó frente al televisor de 50 pulgadas. —No sé —respondió—, pero por ahora, me voy a relajar y ver una película.

Will asintió y salió de la habitación, regresando un momento después con una bolsa de papas fritas y dos refrescos.

—¿Y las palomitas de maíz? —preguntó Joe. Ambos se rieron mientras se sentaban a mirar su película, olvidándose de Rick.

No había actividades programadas para proporcionar un horario durante el día, por lo que ya pasaba de la una en punto cuando Will y Joe se dieron cuenta de dos cosas: No habían almorzado, y Rick todavía no aparecía. Joe se levantó del sofá y fue a buscar a su amigo. Él y Will tocaron a la puerta de la habitación de Rick y esperaron. La puerta finalmente se abrió y Rick salió.

—Muchachos, lo siento, perdí la noción del tiempo.

Los hombres se dirigieron a la cocina para comer algo; cada uno ya tenía hambre. Will abrió otra bolsa de patatas fritas y se preparó unos sándwiches; Rick puso al horno una pizza personal, y Joe metió en el microondas una de las comidas precocinadas. Los tres se sentaron a la mesa, esperando discutir el primer ejercicio.

—Bueno, Joe, tú primero —dijo Rick.

Joe fue breve; explicó la dirección que tomó con el ejercicio, cómo creó su lema, y cómo estableció el precio de su producto.

—¿Pastillas? —preguntó Rick—. Bueno, me imagino que esa será la forma segura de hacer las cosas. El lema está bien—*Dos al día tomar para una libra quitar*—¡lo cual significa que tendrán que ser muy efectivas!

Joe encogió los hombros. —Bueno, tal vez no estuvo tan bien pensado, pero fue lo que se me ocurrió.

—Mi turno —dijo Will—. Mi producto es un batido energizante para reemplazar el desayuno y almuerzo, con resultados esperados en dos semanas.

—¿Y tu lema? —preguntó Joe—. *¿Sacúdete esas libras?*

Los otros se rieron, creyendo que era simpático.

—Batido energizante definitivamente es una opción mas sofisticada. Yo hice lo mismo —admitió Rick—. Mi lema es: *Tómalo y adelgaza.*

Will asintió con la cabeza su aprobación. —Creo que lo hicimos bien por ser el primer ejercicio RV. Me pregunto ¿qué sigue?

—Todavía tenemos tiempo —respondió Rick—. Pero ahora les tengo que contar por qué es que me tardé tanto en salir de mi habitación. —Les comentó de las memorias USB portátiles con los programas, y cómo los estaba probando en su habitación. Contó la última experiencia que tuvo, cómo todo parecía tan real. —La modelo era de otro nivel, no solo atractiva (era una linda pelirroja) sino inteligente también, como esas citas costosas que uno obtiene si quiere algo con más clase. La ubicación que escogí era increíble también.

—Muy bien, ya escuché suficiente —dijo Will mientras se levantaba de la mesa—. Creo que buscaré un libro para leer; allí los miro al rato.

Joe miró a Rick. —Quiero ver a una de esas modelos.

Joe, con una playera simple, pantalones cortos y sandalias, abrió sus ojos a la ubicación que había seleccionado, una playa en Hawái con el sol poniéndose sobre el horizonte. Estaba sentado detrás de una pequeña mesa redonda, bebiendo de un vaso alto decorado con una pequeña sombrilla. El sonido de una mandolina tocando y las olas llegando a la orilla del mar era relajante. Una chica de pelo rubio y ojos verdes se sentó junto a Joe. Tenía un bikini color rosa y sandalias.

—Hola, me llamo Lisa —dijo.

Joe sonrió y empezó una conversación amistosa hasta que ella lo invitó a dar un paseo por la playa. Cuando el consintió, ella lo tomó de la mano y lo dirigió a caminar sobre la orilla del mar. Momentos después estaban recostados sobre la arena mientas el sol desaparecía detrás de unas montañas.

Tal vez nunca tenga la oportunidad de ir a Hawái, pensó Joe dentro de sí, *pero esto sí es bastante parecido.*

Rick no era tan discreto. Él estaba recostado sobre una cama con su compañera pelirroja, disfrutando de un beso apasionado. La ventana sobre la cama era grande, un marco perfecto de la torre Eifel que se veía en la distancia.

—Definitivamente me puedo acostumbrar a esto —dijo Rick con voz ronca.

Gabrielle no parecía estar entretenida o interesada. —¿Sabias que mi programa está basado en una persona real? —Rick levantó la cabeza. La pelirroja continuó—: De veras. Su nombre es Gabrielle. Fue despedida de tu corporación debido a un comportamiento inapropiado.

—¿Me puedo poner en contacto con ella? —preguntó Rick, su mente ya llenándose con ideas de que alguien podría tener algunos secretos ocultos sobre el Director Ejecutivo de la compañía.

La chica asintió. —Te puedo dar su correo electrónico.

Rick frunció la frente. —No tengo conexión de internet.

—No hay problema —respondió la Gabrielle virtual—. Hay un cobertizo de almacenamiento a pocos metros de esta cabaña. Tiene el equipo que necesitas para poder comunicarte con quien quieras. Esta bajo llave, pero la llave está escondida debajo de una franja de madera suelta en frente de la entrada.

Rick se sentó rápidamente, sin tratar de ocultar su emoción: *Bryan Conrad, eres un pequeño diablo.* Volviéndose a la muchacha, dijo: —Si Gabrielle te programó para que me dieras esta información, ¿por qué el Sr. Conrad no te borró a ti y a las otras chicas?

—Él no tiene idea de lo que hacemos —respondió ella—. Él cree que solo somos un programa para dar placer o entretenimiento. Nadie ha compartido este secreto con él.

Rick estaba asombrado y emocionado al mismo tiempo. —Me imagino que podría escabullirme para buscar ese cobertizo.

Joe estaba recostado sobre la arena de la playa con Lisa cerca de él. Se preguntaba cuánto tiempo había pasado; se imaginaba que era tiempo de decir adiós. —Lisa, tuve un tiempo maravilloso contigo, pero debo irme.

La chica se levantó y le dio un beso suave en los labios. —¿Sabías que mi programa está basado sobre una persona real? —Joe la miró con sorpresa y sonrió con deleite.

Capítulo 5

El éxito a la manera CORRECTA

La sala estaba silenciosa. No estaba Rick ni Joe jugando videojuegos o viendo una película. Will había terminado de leer su libro y estaba un poco aburrido; esperaba encontrar a uno o ambos de sus amigos. No estaba de suerte. Consideró sus opciones: ¿Ver otra película? No, ya no tenía ganas. ¿Jugar un videojuego? Ya no era un niño; era divertido cuando jugaba con otro adulto, así los dos se podían ver ridículos. Parecía que ya no tenia opciones.

El reloj sonó dando las cinco en punto; el tiempo iba a pasar lentamente. Suspiró, luego miró el equipo RV que estaba en el sofá. ¿Un viaje a cualquier ubicación, con una compañía femenina, de veras? Respiró profundamente y se sentó en el sofá para probar el equipo. Había tres nombres femeninos y una lista de varias ubicaciones para el escape. Tratando de no pensar mucho, seleccionó un nombre y lugar.

Mientras se ajustaban sus ojos, Will se dio cuenta que estaba sentado en el vestíbulo de un hotel lujoso, vestido como si iba a un evento formal. *Un teatro,* recapacitó mientras miraba sus alrededores.

—Allí estas —escuchó él. Will se levantó mientas su acompañante se acercaba. Era hermosa. Su vestido de gala complementaba su piel bronceada y sus ojos azules, dándole una apariencia exótica—. Me llamo Jasmine. —Después de introducirse, Will le ofreció su brazo, y ambos caminaron hacia el teatro.

Un cuarteto de cuerdas comenzó a tocar, y Will decidió relajarse y disfrutar la función. Una hora después (si la realidad virtual fuera igual al tiempo real), el concierto terminó y Will se paró con el resto del público, aplaudiendo a los miembros de la orquesta.

—¿Gustarías algo de tomar? —preguntó Jasmine. Will asintió y la siguió fuera del teatro. Tomaron el elevador, y Will se dio cuenta que estaban yendo a su suite—. ¿Podrías ordenar que suban algo? —preguntó ella mientras caminaba hacia la habitación del fondo. Will asintió y caminó hacia el teléfono. Se detuvo, sintiéndose ridículo. *Esto se está poniendo muy real,* pensó. Justo cuando el decidió que iba a salir del programa, Jasmine apareció—vistiendo lencería costosa.

Ella se acercó a un Will atónito y puso sus brazos

alrededor de él. —No estés tan sorprendido —dijo, besándolo suavemente.

Will estaba sorprendido de lo real que se sentía. —Eso fue muy agradable, pero debo irme ahora.

Jasmine sonrió, pero no lo soltó. Ella lo besó nuevamente, y cuando Will no la detuvo, ella dio un paso atrás y lo dirigió al dormitorio.

El reloj marcó las seis en punto; Rick salió de su habitación y se encontró con Joe. Ambos de pie sin moverse con una cara sorprendida. —¿Te dijo algo ella de que el programa es basado en una persona real? —preguntó él.

Joe asintió. —Debemos buscar ese cobertizo de almacenamiento y conocer a esas personas en la vida real.

—Después del siguiente ejercicio —mencionó Rick. Caminaron hacia la sala encontrando a Will removiéndose los auriculares virtuales.

Rick sonrió, y Joe con mucha emoción dijo: —¡Bienvenido, amigo!

Will se levantó, luciendo pálido. —Tienes razón, eso fue muy real.

—No voy a preguntar qué hiciste, porque no importa —dijo Rick—. Pero respóndeme esto: ¿Te dijo la chica algo interesante acerca de ella?

Will se miraba confundido.

—¿Mencionó que era un programa basado en una persona real? —soltó Joe.

Will negó con la cabeza. —No estuve allí por mucho tiempo.

Los otros se miraban decepcionados, pero dejaron de lado el tema. —Queda menos de una hora, muchachos. Hay que estar listos —dijo Rick.

—Y tú también —agregó Joe.

—¿Yo? —respondió Rick—. Siempre estoy listo.

Joe se rio y vio a Will, quien se esmeró para ofrecer una sonrisa.

Como una polilla atraída a una llama, pensó Roy mientras miraba la pantalla de seguridad y bebía su refresco. Estaba esperando a su compañero.

—Ya casi son las siete en punto, Roy —dijo el anciano mientras entraba.

—¡Ya era hora! Esto se está poniendo aburrido.

Roy se levantó de la silla y apuntó a la pantalla que mostraba a los tres hombres parados junto al sofá con el equipo RV. —Cada uno lo probó, y creo que les gustó, Jim.

—No me sorprende.

Roy caminó hacia la puerta. —Ah, por cierto, observa atentamente al rubio. Apuesto a que se va a escapar esta noche. Luego me cuentas qué pasa.

Jim asintió y se sentó en la silla. *Va a ser una noche muy larga*, pensó, dejando salir un suspiro.

Will se sentó en el sofá de su habitación. Todavía había tiempo, pero quería estar listo. Su mente regresó al encuentro con Jasmine, recordando el último minuto del programa: Jasmine lo había dirigido hacia el dormitorio, pero Will se había detenido. *No puedo hacer esto; es demasiado extraño*, se dijo. Jasmine se había sentado en la cama, cruzando sus piernas de una manera seductora.

Está bien, había dicho ella, *pero espero que regreses pronto. Aquí estaré esperando.* Will había asentido y cerrado el programa.

Lo que los otros habían dicho tenia poco sentido, pero Will lo investigaría mas adelante. Por ahora, tenia un ejercicio que completar, y estaba ansioso por empezar.

Esta vez, el entorno no era una oficina, sino un centro de convenciones con miles de personas. Al entrar, Will recibió un folleto que tenía las instrucciones: Haz que la gente se interese en lo que ofreces; promociona tu producto. Cree en lo que tu producto está proclamando.

Will respiró profundamente y entró al auditorio, el cual estaba preparado como una feria con cabinas y campañas de mercadeo. El lugar estaba lleno de representantes de empresas y personas que buscaban maneras de invertir su dinero. Él sabia que tenía que encontrar un espacio, y hacer posters para promover su producto. Justo cuando estaba a punto de sentirse abrumado, su cabina se abrió; y él se dio cuenta de que la prueba no era sobre sus herramientas de mercadeo, sino sobre su desempeño. Él se paró detrás de la mesa; y mientras las personas pasaban, él entregaba revistas y panfletos.

—Las bebidas de alto rendimiento Logan te ayudan a perder peso en poco tiempo. Tomen un panfleto por favor.

Algunas personas tomaban panfletos sin decir nada, otros solo sonreían y pasaban de largo.

Alguien quería saber sobre los resultados. —¿Dijo dos

semanas? El vendedor de allá tiene bebidas que te ayudan a perder peso en seis días.

Will sonrió y tranquilamente respondió: —No puedo hablar por los demás, pero puedo garantizar resultados con mi producto. ¿Porqué no lo prueba por usted mismo?

—Puedo obtener un mejor precio con los otros vendedores —respondió alguien más.

Will asintió. —El precio que yo tengo es justo para lo que estos batidos pueden hacer. Usted decida. —La conversación continuó por un rato hasta que diez personas habían comprado el producto. De repente, la tapa de la caja metálica que el estaba usando para guardar el dinero se abrió y una llave plateada apareció. Will la tomó, mirando a su alrededor con sorpresa. El auditorio era enorme. ¿Dónde encontraría la puerta que lo dejaría salir?

—Oiga, señor, ¿puede venir aquí por un momento? —Will apenas había visto quién le había hablado. Pero siendo un vendedor responsable, cerró la caja donde guardaba el dinero y la dejó junto a las revistas, fuera del alcance del público. Cuando salió de su cabina, no había nadie allí. Regresó a su cabina y notó que una puerta había aparecido detrás de su estancia. Will sonrió, tomó la llave, la introdujo en la cerradura y le dio vuelta. El segundo ejercicio había terminado.

Después de suspirar aliviadamente y tomarse un

momento para recuperar el aliento, Will caminó hacia su tableta para escribir otra entrada:

Llave #3: Sé valiente y confiado

Rick se estaba divirtiendo con este ejercicio. El auditorio estaba lleno y ruidoso; los vendedores no eran nada tímidos con lo que tenían que vender. Rick tampoco lo era. Estaba parado detrás de su mesa gritando: —¡Batidos fenomenales de Hamilton, tómalos y adelgaza! —Con su carisma, las ventas se dispararon. Cuando llegó a vender 25 productos, una llave de bronce apareció sobre los panfletos. Rick la tomó mientras una voz le dijo que mirara detrás de la cabina. Introdujo la llave en la cerradura; y mientras la puerta se abría, se vio un destello de luz y el programa terminó.

Rick respiró aliviadamente al quitarse los auriculares virtuales. Permaneció sentado por un momento y de allí se dio cuenta que ya casi eran la ocho en punto. La cena podía esperar. Se colocó los auriculares virtuales nuevamente y seleccionó otro programa: Estaba en una discoteca, sentado detrás de una mesa. Gabrielle estaba junto a él, con un vestido de cuero.

—Muy bien, Gaby —dijo él mientras la música R&B sonaba en el fondo—. Dime lo que necesito saber sobre tu verdadero yo.

Ella sonrió y trazó su dedo suavemente sobre la mejilla de Rick. —Primero, vayamos a un lugar mas privado. —Ambos se levantaron y salieron del club.

Joe se quitó los auriculares virtuales y gruñó. El ejercicio resultó ser más de lo que él esperaba; necesitaba relajarse. Así que, cambió de escenario, escogiendo un parque de diversiones con varios juegos, entretenimiento y comida que se vendía en diferentes áreas del parque. Cuando un hombre vendiendo algodón de azúcar pasó caminando, Joe compró dos. Lisa estaba con él, vestida casualmente, con una blusa cuadriculada roja y blanca, atada en un nudo sobre su cintura, pantalones cortos de mezclilla, y zapatillas.

—Para ti querida —dijo Joe mientras le daba el algodón de azúcar. Lisa lo tomó y lo llevó a una de las atracciones populares, la rueda Ferris. Una vez que llegaron a la cima, la rueda se detuvo. Joe miró hacia abajo—y se paralizó.

Lisa lo acercó a ella y le besó la mejilla. —No te preocupes, nada te puede pasar aquí —dijo—. Ahora, si te interesa, puedes conocer a la verdadera Lisa pronto.

—Tú pareces ser muy real —dijo Joe tímidamente. Lisa solo sonrió y le dio otro beso. La rueda se movió nuevamente, y la pareja se abrazó.

Will se sentó en su cama y esperó para escuchar si los otros habían salido de su habitación. No se escuchaba ningún sonido, así que era obvio lo que los otros estaban haciendo. Después de un rato, se levantó y caminó hacia la cocina para prepararse una cena sencilla. Llevó su plato a la sala y prendió la televisión. Miró televisión hasta que terminó de comer, pero su mente estaba inquieta; no podía dejar de pensar en Jasmine. Se rindió, se dirigió al sofá, y prendió otro programa: Estaba parado sobre la proa de un yate privado, observando las olas. Era tarde por la noche y la luna llena iluminaba adecuadamente la ocasión. Jasmine apareció por detrás de él, vistiendo un traje de baño. Se paró al lado de Will, ofreciéndole un beso suave en su mejilla, y le susurró,

—Te he estado esperando.

Ya eran casi las nueve en punto, y Roy no estaba sorprendido que solo el señor de lentes había comido algo; los otros dos estaban pegados a sus equipos RV. Se preparó otra taza de café y tomó una variedad de revistas para tener consigo. Se dirigió a la trasmisión en vivo de la sala justo cuando Will decidió colocarse los auriculares virtuales.

—Muy bien —se dijo a sí mismo—, parece que podré ganarme 50 dólares.

El éxito a la manera CORRECTA

SEGUNDA PARTE

Capítulo 6

El éxito a la manera CORRECTA

Rick estaba completamente despierto, viendo su reloj constantemente hasta que diera la 1:00 a.m. Salió de su habitación y encontró a Joe esperando.

—No tienes que hacer esto conmigo Joe, puede ser peligroso, —le dijo a su compañero. Joe asintió la cabeza, pero no se movió. *Es como hablarle a una mascota,* pensó. —Amigo, deberías quedarte —reiteró Rick.

Joe asintió nuevamente, pero esta vez habló: —Si alguien viene, yo seré tu vigilante aquí en la casa.

—Bueno, pero estaré muy lejos para escucharte. Déjame ver si todo esta allí. Si así es, regresaré por ti. —Joe estuvo de acuerdo. Ambos hombres estaban parados en la entrada de la cabaña, pero solo Rick salió. Caminó cautelosamente por el porche, buscando una tabla suelta. Para su sorpresa, había una suelta; se inclinó para levantarla y encontró una sola llave de bronce escondida debajo. Rick sonrió y miró hacia la entrada de la cabaña donde su amigo lo estaba esperando. —Esto se va a poner interesante —susurró.

—Ya está interesante —respondió una voz detrás de Joe, haciendo que él saltara de susto. Will estaba mirando tranquilamente a los dos hombres.

—¿Así que la chica te contó que es real? —preguntó Joe.

Will asintió. —Supuse que sería mejor ver qué estaban haciendo ustedes. Tengan cuidado; no hagan nada estúpido.

—¿Algo como escabullirse en plena noche? —preguntó Rick sarcásticamente.

Will asintió. —Bueno, nada peor que esto.

Rick sonrió. —Dame una hora.

Will y Joe cerraron la puerta. —Espero que no nos despidan —susurró Joe nerviosamente.

El cobertizo era pequeño, pero no estaba tan lejos como Rick había pensado. Algunos árboles y arbustos lo mantenían escondido, pero era fácil de encontrar puesto que él ya sabía dónde buscar. La cerradura se abrió, y Rick entró. Sacó una linterna de su bolsillo e iluminó adentro del pequeño espacio para orientarse. Notó herramientas colgadas en la pared sostenidas por ganchos y materiales de jardinería agrupados contra una pared. Y mientras alumbraba el resto de la habitación, algo atrajo su atención; caminó hacia una mesa que estaba cubierta con un plástico. Él quitó el plástico, y para su asombro, encontró una computadora—conectada a un cable de internet. El módem había de haber estado cerca, pero Rick no quería perder más tiempo.

La computadora no estaba protegida con contraseña, así que inició inmediatamente. Rick sacó una libreta pequeña de su bolsillo, buscó la hoja donde tenía apuntado la información de contactos que había obtenido y le escribió un correo electrónico rápido a Gabrielle. Unos momentos más tarde, recibió una respuesta.

Hola Richard,

He escuchado de ti en la Corporación de Recursos de Vida. Creo que es un buen lugar para trabajar, pero no siempre estoy de acuerdo con el liderazgo del Sr. Conrad. Muchas veces se sobrepasa, y su reclutamiento de personal es malo. Tengo mucho que contarte, pero prefiero hacerlo en persona. Sé dónde se encuentra la cabaña; puedo llegar mañana—si aceptas.

Gabrielle

Rick pensó por un momento, y luego escribió su respuesta. Después de hacer clic en «*Enviar*», apagó el monitor, volvió a colocar el plástico en su lugar, y se fue, cerrando con llave el cobertizo de almacenamiento.

Will y Joe estaban en la entrada de la cabaña cuando Rick regresó. Apenas habían pasado 30 minutos, pero para ambos centinelas, la tarea de vigilancia se había sentido como una eternidad. Una vez que se cerró la puerta, los tres compañeros de trabajo podían hablar libremente.

—No había señales de vida en este extremo, pero de todos modos fue muy peligroso —dijo Will.

—Lo sé, pero quizá valió la pena —respondió Rick—. Gabrielle me quiere conocer en persona. Dice que tiene información sobre el Sr. Conrad. No sé qué significa eso, pero quiero averiguarlo.

—Esto se está descontrolando —dijo Will, incómodamente.

Joe asintió en acuerdo. —Aunque Gabrielle tenga algo sobre el Sr. Conrad, será mejor que se reúnan después de este retiro.

—Lo siento muchachos —respondió Rick—, pero esto quizá nos sirva de algo ahora antes de regresar al trabajo otra vez. —Will no estaba de acuerdo, pero estaba seguro de que Rick ya había tomado una decisión. Ya que no había nada mas de que hablar, los tres se dirigieron a sus habitaciones—sin sospechar jamás que había cámaras observando cada movimiento que hacían.

Miércoles por la mañana, los hombres estaban un poco mas lentos en levantarse; el desayuno no era lo primero que estaba pasando por sus mentes. Frederick les sirvió a los invitados de la cabaña y de allí se quedó en la cocina hasta que terminaron de comer. Nadie quería hablar de lo que estaba pasando por sus mentes hasta que el mayordomo terminara sus quehaceres y abandonara la cabaña. Eran cerca de las 9:00 a.m., pero ninguno de los tres hombres estaba listo para empezar el siguiente ejercicio hasta que se pusieran de acuerdo en cuál sería el siguiente paso.

—No puedo ser parte de esto —mencionó Will—. Me iré a la cama y me quedare allí; así que hagan lo que hagan los dos, yo podré decir que estaba dormido en mi habitación.

Joe estaba a punto de reconsiderar su participación cuando Rick habló: —Ustedes simplemente no deberían ser parte de esto y déjenme hacer lo mío. Escucharé lo que Gabrielle tiene que decir, pero eso es todo lo que haré. Después de esta noche, dejamos el tema y lo retomamos cuando lleguemos a la ciudad.

Will todavía no estaba convencido, pero decidió

aceptarlo. —¿No te parece extraño que las tres mujeres son reales y saben de esta cabaña? —preguntó él.

—Gabrielle dijo que era una exempleada de la corporación. No sé de las otras; podrían solo ser amigas. —Will recordó de su encuentro con Jasmine en el yate. La luna llena había estado espectacular. Jasmine quería meterse en el jacuzzi, pero Will había mencionado que no tenia ganas; en vez de eso, había dicho que quería conocer más de ella. Cuando mencionó que era el programa de una persona real, Will le preguntó, —¿Cómo me comunico con la verdadera Jasmine?

—Habla con Gabrielle —Jasmine había dicho—. Ella sabe cómo comunicarse con las otras dos. Las tres fuimos seleccionadas para hacer este programa.

Will le había dado las gracias y había apagado el programa. Esto había pasado la noche anterior, por lo cual él decidió reunirse con los otros a la puerta de la cabaña. Él sabía que Rick iba a investigar, así que se quedó despierto hasta que escuchó a sus compañeros a la 1:00 a.m.

—¿Y qué hay de la otra chica Lisa? —preguntó Will.

Joe sacudió la cabeza. —Nunca le pregunté cómo comunicarme con ella.

—Entonces Gaby, la exempleada, ¿pudiera tener algo en contra del Sr. Conrad? —dijo Will pensativamente—. ¿Jasmine y Lisa solo son amigas, y nada más? ¿No se dan cuenta que esto podría ser una trampa para hacernos fallar una gran prueba?

—Posiblemente —admitió Rick—. Pero no importa. Todavía me voy a juntar con Gabrielle para ver qué tiene que decir. Si resulta ser una gran prueba y me descubren, diré que ustedes ni tenían idea; toda la culpa será mia.

Joe miró su reloj. —Ya son las nueve en punto muchachos. —Los tres se dirigieron a sus habitaciones; el tercer ejercicio estaba por iniciar.

Roy y Jim se estaban divirtiendo. —Esta es la primera vez que alguien sale a escondidas esta noche, ¡y dos veces!

Jim asintió. —Antes, solo estábamos apostando en quién iba a usar más el equipo RV; ahora, están considerando jugar a espías. ¿Puedes creer eso?

—Bueno, tendremos que ver qué va a querer hacer el Sr. Conrad. Quizá él querrá encargarse del asunto personalmente —dijo Roy.

—Posiblemente, pero por lo menos tendré otro espectáculo hoy en la noche —respondió Jim.

—Sí, pero, tampoco afectaría monitorear el cobertizo —sugirió Roy—. No te querrás perder nada.

Jim lo pensó un poco: Sería la primera vez que harían algo más que simple vigilancia. Él aceptó y luego salió del tráiler. Roy tomó su lugar y sonrió, pensando, *Esto se pone cada vez mejor.*

Capítulo 7

El éxito a la manera CORRECTA

¿*H*awái? ¿*En serio?* Joe estaba sorprendido de la ubicación cuando empezó el ejercicio. Estaba en un hotel de cinco estrellas con una gran piscina y mucha gente; a lo lejos se veía la playa. Joe pensó en su visita previa a Hawái y se dio cuenta que este era un panorama mucho mejor—con la excepción de que Lisa no estaba allí para acompañarlo. Observando a toda la gente que estaba allí, se dio cuenta que se estaban llevando a cabo dos eventos: el concurso Miss Hawái, con treinta chicas jóvenes compitiendo por el título; y una exposición de autos clásicos, con autos antiguos de los años 60 y 70. Ambos eventos se estaban llevando a cabo en las afueras del centro de convenciones del hotel: en el área de la piscina se estaba llevando a cabo el concurso de traje de baño de las participantes y el gran estacionamiento era necesario para exhibir los automóviles.

Joe se mantuvo a un lado tratando de admirar ambos eventos. No podía decidirse: ¿Quería unirse a la multitud en el concurso de belleza? ¿O quería ver de cerca los automóviles? Mientras consideraba las opciones, notó un pequeño puesto de venta al aire libre con una pancarta que decía: Pastillas para pérdida de peso Campos. Una pila de folletos y botellas de muestra estaban ordenadamente distribuidas en el pequeño mostrador. Se paró detrás del mostrador, dándose cuenta de que había sido puesto allí para ayudarle a promover su producto. Sabía que era su trabajo repartir muestras y promover algunas ventas—aunque no podría ver los resultados u obtener comentarios de clientes usando su producto.

—Vamos a anunciar a las diez mejores —dijo el anfitrión del concurso de belleza. Joe decidió que tenía tiempo para ver quiénes eran las damas afortunadas, así que dejó su puesto de venta y se dirigió hacia la piscina. *Me pregunto si estaré de acuerdo con la decisión de los jueces,* pensó. Pronto, las diez finalistas se pararon en una sola línea, y la multitud aplaudía en señal de aprobación.

—Un Ford Mustang modelo 1967, azul oscuro, en perfecta condición —escuchó a alguien decir como si leyera un folleto de alguna exposición. Joe sonrió; sí, tenía tiempo para pasear en el estacionamiento de los carros. Dijo un «Tin-marin-de-dos-pingüé» y optó por el Ferrari 308 convertible rojo sin ningún comprador potencial rodeándolo. Se sentó en el asiento del conductor y observó su interior.

—¿Sabías que el Ferrari 308 puede alcanzar velocidades de hasta 160 millas por hora? ¿Y acelera de 0 a 100 millas en 15 segundos? —preguntó el vendedor. No le dio la oportunidad a Joe para responder y continúo con su discurso de venta, pero a Joe no le interesaban los detalles. Después de unos minutos, Joe se excusó y regresó a su puesto.

Después de dar más muestras gratis, Joe miró hacia el área de la piscina y se dio cuenta de que el concurso de belleza estaba a punto de terminar; el anfitrión estaba parado al lado de las tres finalistas. Joe dejó su puesto para dirigirse a una de las mesas junto a la piscina, donde ofrecían refrescos gratis. Se anunció la ganadora, y la multitud se enloqueció—aunque Joe no estaba muy de acuerdo con la decisión.

Cuando Joe se dio cuenta de que estaba perdiendo una buena oportunidad para promocionar su producto, regresó a su puesto, agarró una pila de panfletos y se los entregó a las personas que acababan de disfrutar el desfile de Miss Hawái. La mayoría de ellos se habían quedado por las bebidas gratis, por lo que Joe habló con varias personas. Un camarero, que llevaba una bandeja con vasos vacíos, se detuvo al lado de Joe y le entregó una servilleta.

—Disculpe, esto es para usted. —Joe se sorprendió, pero tomó la servilleta. La abrió, y vio un pequeño teléfono móvil. Lo sacó de la servilleta y el celular sonó. Mientras Joe colocaba el celular sobre su oído, el programa se detuvo repentinamente. Se removió los auriculares virtuales y se enderezó en su silla, sacudiendo su cabeza. *Eso fue tan parecido al Matrix*, pensó.

Era un día soleado y brillante en Hawái, y la vista del océano era espectacular. Rick estaba en su puesto de venta al aire libre preparando sus folletos para hacer negocios, y considerando a su publico: las personas que miraban los autos eran diversas. Podría repartir sus panfletos y su número de contacto para ver si habría una respuesta positiva; la multitud en el concurso de belleza parecía prometedora. Pero Rick estaba más interesado en las concursantes del concurso Miss Hawái; pensó que tendría una mejor oportunidad de vender su producto a las mujeres, ya que tendrían que mantenerse en forma para futuros eventos. Si lograba convencer a un par de las participantes para que compraran un año de provisiones del batido fenomenal Hamilton, su día estaría hecho. Consideró a las tres finalistas principales; sabía que ellas estarían completamente concentradas en mantener sus figuras para tener la oportunidad de ganar en la próxima competencia. Sin embargo, tenía que calcular bien su movida, para que esa oportunidad no se le escapara entre los dedos.

—Es hora de anunciar a las ganadoras.... —Rick escuchó la voz del anfitrión hablar mientras él contaba su mercancía. Sí, había suficientes batidos para que les alcanzara para unos cuantos meses; podría proveer el resto más adelante. Rick caminó hacia el área de la piscina para ver las reacciones de las participantes mientras anunciaban la segunda y la primera finalista.

—La segunda finalista es… —y anunciaron el nombre. La joven sonrió cálidamente al recibir su premio, y de allí caminó hacia donde estaban paradas las otras dos. Rick se mantuvo enfocado en ellas. El anfitrión anunció a la ganadora, ante la ovación y aplausos de la multitud. La ganadora lloró de emoción y la primera finalista sonrió y le cedió el paso al frente.

Rick considero su próxima movida: Miss Hawái era más alta y delgada que la primera finalista. ¿Podría vender la idea de que la finalista podría ser más delgada? Mientras el evento terminaba y la multitud rodeaba los refrescos gratis, Rick se acercó a un miembro del equipo encargado de la primera finalista. En minutos, él estaba haciendo su propaganda en la suite del hotel donde la joven y el resto del equipo se estaban quedando. Para la sorpresa de Rick, no le tomó mucho tiempo antes de llegar a un acuerdo. Tres cajas de batidos fueron entregados a la habitación a la misma vez que Rick recibió una bolsa de cuero llena de efectivo para cubrir la compra. Rick sonrió y colocó el pago sobre la mesa en la sala. La concursante también parecía estar complacida; Ella lo invitó a que se quedara para compartir una bebida.

Poco tiempo después, la habitación quedó vacía, y ellos quedaron solos disfrutando las bebidas del minibar y platicando en un tono bajo.

—A mi opinión tú deberías de haber ganado —dijo Rick, acercándose más a ella. Ella no se alejó, así que Rick se inclinó y la besó.

Cuando abrió sus ojos, se percató que estaba solo. Todavía estaba sentado en el sofá de la sala de la suite; la bolsa de cuero todavía estaba sobre la mesa. ¿Pero qué había pasado? ¿Dónde estaba la señorita? Rick revisó la bolsa y se dio cuenta que estaba vacía. El dinero ya no estaba; la mujer no estaba. Obviamente había sido estafado. ¿Pero cómo, me habrán drogado con la bebida del minibar? Se levantó y se dirigió hacia la puerta. Se estaba sintiendo confundido con lo que era real y lo que no—hasta que abrió la puerta, y todo se oscureció.

—En este momento no tengo el dinero—a menos que podamos hacer un trato y te pago en diamantes. —Will, sentado en una mesa al lado de la piscina, estaba hablando con un cliente potencial que representaba a una de las diez finalistas del concurso de belleza. El agente pensó que la bebida de alto rendimiento de Logan era justo lo que su clienta necesitaba para ganar el próximo concurso. Estaba tratando de convencer a Will de aceptar un pago diferente, pero Will no estaba seguro de que fuera una buena idea. Tratar con diamantes seria complicado; él no estaba preparado para verificar su autenticidad. Pero tampoco quería ofender a su cliente potencial al rechazar su oferta.

Así que le dijo: —Lo siento, pero la política de mi compañía es solo aceptar dinero en efectivo o una transferencia bancaria a mi cuenta.

El hombre de mediana edad asintió e intentó otra oferta. —Hagamos la mitad del paquete, lo que *sí* puedo pagar. —Will estuvo de acuerdo; ambos estrecharon la mano e hicieron el trato. No era una gran venta, pero era mejor que nada. El agente abrió su computadora portátil y completó la transferencia bancaria. Se estrecharon la mano nuevamente, y ambas partes continuaron su camino.

Will entró al vestíbulo del hotel y encontró un asiento, sorprendido de que el ejercicio no hubiera terminado. Un asistente se le acercó con un teléfono móvil.

—Una llamada para usted, señor.

—¿Hola?…

Will estaba de vuelta en su habitación, sentado en su cama con su tableta frente a él. Mientras consideraba lo que había sucedido en el programa de realidad virtual, hizo su siguiente entrada:

Llave #4: Mantente enfocado.

Joe fue el primero en hablar sobre su aventura en el

ejercicio, agregando que no estaba preocupado en que no había hecho ni una venta. Los tres hombres estaban en la sala, sentados en el sofá mientras una película estaba puesta en la televisión-aunque nadie estaba prestando atención.

—Te das cuenta de que debes alcanzar un objetivo en cada ejercicio, ¿no? —dijo Rick—. Quizá mientras mejor ejecutas el trabajo, más grande será la recompensa que el Sr. Conrad te va a dar al final.

Will sonrió. —Bueno, me imagino que tú hiciste un muy buen trabajo con tu producto en este último programa, ¿es así, Rick?

Rick se sonrojó y dijo simplemente: —Me fue bien. —Luego cambió el tema. —Estaba pensando en lo que dijiste antes sobre esta reunión con Gabrielle siendo una trampa. —Bajó la voz para que Will y Joe tuvieran que acercarse para escucharlo. Rick observó la habitación mientras continuaba, —Saben, quizá el Sr. Conrad tenga monitores en esta cabaña, y todo lo que digamos aquí puede ser usado en nuestra contra.

Joe y Will se incorporaron en sus sillas tratando de no ver a sus alrededores; ambos obviamente se preocuparon.

—Propongo que exploremos un poco —dijo Rick—. Tenemos todo lo que necesitamos para relajarnos y divertirnos, pero nunca nos dijeron nada de permanecer dentro de la cabaña. Quizá hay mas allá afuera que solo el cobertizo de almacenamiento.

—Averigüémoslo —sugirió Will—. Eso nos podría ayudar. Podemos decir que estábamos explorando un poco y encontramos el viejo cobertizo.

Joe se dio cuenta de lo que los otros dos estaban haciendo. —Ah, y podría decir que descubrí una tabla suelta en el pórtico delantero y cuando la levanté, encontré la llave de ese cobertizo.

—Ahí ya nos estamos excediendo un poco, pero tal vez funcione. Los niños serán niños que buscan tesoros escondidos —dijo Rick. Así que ese fue el acuerdo: Después del almuerzo, saldrían a explorar.

Rick, Joe y Will salieron, mirando a su alrededor para ver qué dirección tomar.

—Iré hacia el cobertizo —dijo Rick—, así si pasa algo esta noche, me caerá solo a mi.

—Reunámonos aquí dentro de una hora —dijo Will—. ¡Buena suerte! —Los tres salieron tomando diferentes direcciones, dejando atrás la cabaña.

Fue Will quien hizo el sorprendente descubrimiento; el tráiler no había sido bien ocultado. Las dos ventanas laterales lo pusieron nervioso, así que decidió no acercarse mucho. Regresó a la cabaña para esperar a los demás; estaba ansioso por decirles lo que había encontrado. Después de tomar la tableta de su habitación y una bolsa de papas fritas de la cocina, se sentó en la mesa del comedor, pretendiendo leer algo. Cuando se abrió la puerta y entraron sus amigos, él dijo:

—¿Porqué no miramos la película que Joe dijo que quería ver? —Los otros asintieron y lo siguieron hacia la sala. La película comenzó, y Will le entregó su tableta a Rick, quien hizo gestos a Joe para que se acercara. Leyeron juntos: *Creo que hay cámaras y micrófonos ocultos en la cabaña. Encontré un tráiler estacionado a una milla de aquí. Supongo que alguien nos está observando desde allí. La reunión de esta noche es una trampa.*

Rick asintió y susurró: —Muchachos, esto es mucho mejor que una película de espías. ¡Somos actores!

Debido a los eventos recientes, los tres hombres mantuvieron sus actividades al mínimo y conversaciones casuales. Eran alrededor de las 4:00 p.m. Rick y Joe habían regresado a sus habitaciones para usar el equipo RV para otra aventura, y Will se quedó solo en la sala. Estaba tratando de pensar en otras cosas, pero se le hacía difícil. Finalmente se aburrió y decidió tener otra aventura con el equipo RV en el sofá.

Esta vez, Will se encontró en una suite de algún tipo. Caminó hacia la ventana y contempló el maravilloso paisaje invernal. Las nubes bloqueaban el sol, lo que impedía que los rayos calentaran el paisaje. Se dio cuenta de que estaba en una estación de esquí rodeada de árboles. El suelo estaba cubierto de nieve, y podía ver a varias personas esquiando. Todos muy bien abrigados y pasando un buen tiempo. Se dio vuelta para mirar a su habitación y notó un fuego ardiendo en la chimenea, y Jasmine recostada con aire despreocupado en la cama. Ella se levantó y puso sus brazos alrededor de Will, besando suavemente su mejilla.

—Me alegro de que hayas venido a visitarme de nuevo —dijo. Will contuvo el aliento ante su exótica belleza. Mirándolo a los ojos, ella lo besó de nuevo; y esta vez, Will no se contuvo.

Los monitores titilaron, pero las cámaras continuaron transmitiendo. Roy abrió otro refresco y estudió a los tres hombres, luego volvió su atención a Will.

—Tres veces más —se dijo a sí mismo—, y muy fácil me ganaré 50 dólares.

El éxito a la manera CORRECTA

Capítulo 8

Nadie tenía una rutina. Los tres compañeros comían lo que querían y a la hora que querían. A veces se reunían en la sala, y otras veces se quedaban en sus habitaciones. Roy se entretenía más cuando los tres participaban en batallas interactivas—unas donde los soldados escogían sus armas, pasaban por paisajes salvajes y combatían contra enemigos (algunos humanos, otros alienígenas). Se gritaban y alegaban entre sí como si la pelea era entre ellos. En una ocasión, él soltó una gran carcajada y casi se ahogó con palomitas de maíz mientras los «niños» se empujaban entre sí después de que alguien había cometido un error.

Este día, los hombres habían estado jugando durante más de una hora cuando «Lentes» les recordó que eran casi las 7:00 p.m. Terminaron el nivel y guardaron la misión para otra sesión. La sala se vació, y cada hombre regresó a su habitación para prepararse para el siguiente ejercicio.

Will se sentó en su silla, colocándose los auriculares visuales. Se puso a meditar sobre la conversación que acababan de tener:

—*Creo que deberíamos exponer toda la operación, y decirle a Bryan que lo que hizo no estuvo muy bien de su parte —dijo Rick, apenas audible bajo las fuertes explosiones y los disparos del juego que estaban jugando.*

—*Nadie es perfecto, ni siquiera el Sr. Conrad —respondió Will—. Terminemos el retiro y luego le expondremos nuestras preocupaciones cuando regresemos a la oficina.*

—*Y después de que él nos haya dado nuestros premios —agregó Joe, expresando su preocupación por perder algo bueno.*

—*De acuerdo —dijo Rick—, pero ¿qué hay de esta noche? ¿Creen que todavía deberíamos escaparnos e ir al cobertizo?*

—*Espera, ¿qué? —dijo Joe paralizado, en cuanto el soldado que él estaba usando explotó por un láser alienígena.*

—*Lo siento amigo, estás muerto* —dijo Rick empujando a Joe, quien casi se chocó con Will—*fue allí cuando se dieron cuenta de la hora y salieron del juego.*

Era otro auditorio con una gran plataforma (como en el primer ejercicio), donde se instalaron quioscos y puestos de ventas para promocionar servicios y productos. Cuando Joe entró, vio la gran pancarta que decía: *Súper Día de Ventas. Para la empresa o el vendedor que alcance 100 ventas hoy, un viaje gratis a las Bahamas de dos días y una noche en un hotel de 5 estrellas.*

Él entendió lo que esto significaba cuando comenzó el ejercicio. El objetivo era claro: alcanzar al menos 100 ventas de su producto. A medida que la gente comenzó a aparecer y caminar hacia la plataforma, Joe observaba su competencia y calculaba sus probabilidades, las cuales, se dio cuenta que no eran muy buenas. Cada uno de ellos tenía hermosas modelos promocionando sus productos y pantallas de televisión demostrando lo que vendían. Joe solo tenía revistas y folletos convencionales y algunas muestras, nada más. Esto no iba a ser fácil, él pensó.

Rick no se sentía intimidado por las probabilidades.

Puso a trabajar sus mejores cualidades (su apariencia y habilidad para hablar).

—Así es; verá resultados en tan solo unos pocos días.

—Sí, el precio está fijo; pero puedo trabajar con usted si ordena por mayor.

—Este producto ha estado en el mercado por años. No hemos utilizado tácticas de mercadeo tradicionales para publicitar. Hemos confiado en la publicidad de boca a boca; a nuestros clientes les encantan nuestros batidos.

Rick siguió pasando información y respondiendo preguntas hasta que alcanzó su objetivo. No estaba seguro de cuál comentario le había funcionado mejor, pero estaba contento de que había dado resultado. Un joven con una gorra roja apareció en su puesto de ventas con una medalla de cinta azul con el número 1 en ella. Él sin palabras lo colocó sobre la mesa y se fue. Rick sonrió y tomó la medalla. La pantalla se puso azul y el programa finalizó.

El ejercicio fue una lucha para Will, pero hizo todo lo posible para promover su bebida de alto rendimiento sin tratar de manipular o engañar al cliente. Le tomó un poco de tiempo (no estaba seguro de cuánto, ya que no había un cronómetro), pero finalmente logró su objetivo de 100 ventas. Pensó que el tiempo no era el factor importante aquí, sino la cantidad de ventas en un día. Se sentó en su silla y apenas notó al joven que pasó dejando la medalla azul. *Me pregunto qué pasaría si no alcanzáramos nuestros objetivos*, se preguntó a sí mismo. *Espero que los demás hayan completado sus tareas.*

El sonido de un teléfono sacó a Will de su ensueño. Mirando a su alrededor para localizar el sonido, sus ojos se fijaron en la medalla azul que había sido colocada sobre su mesa. Él sonrió al levantarla.

—Hola —Y el ejercicio terminó.

Su tableta estaba sobre su cama. La tomó, reflexionando sobre lo que quería escribir. *El impulso motivador (o la competitividad) de un vendedor podría empujarlo a decir cualquier cosa para alcanzar su objetivo, especialmente si el tiempo fuera un factor,* pensó. *Apuesto a que Rick se divirtió haciendo este ejercicio. Joe probablemente no tanto; él no es tan atrevido ni ingenioso.* Pensar en sus amigos le trajo una sonrisa a la cara. *En última instancia, solo el Sr. Conrad decidiría qué era lo que se tenía que hacer para aprobar cada ejercicio,* concluyó. Entonces él agregó esta nueva entrada:

Llave #5: Sé Honesto.

El jacuzzi estaba en un área privada de la suite, y

Joe estaba feliz de tener un momento para relajarse. Necesitaba algo para distraerse del ejercicio frenético que acababa de terminar. Como la cabaña no tenía este lujo, se había conformado con un programa de relajación virtual que se acercaba mucho a lo real.

Lisa, tomando una bebida refrescante con una pequeña sombrilla, se veía hermosa en un bikini dorado. Ella se movió hacia donde estaba Joe.

—¿Es cierto que hay una verdadera Lisa que puedo conocer? —preguntó, tomando la bebida que ella le ofreció.

—Por supuesto —respondió ella—. Tengo todas sus características. —Joe sonrió mientras ella se subía a su regazo. —Yo puedo hacerte sentir bien; pero si quieres a la Lisa real, tendrás que preguntarle a Gabrielle. —Joe estaba un poco confundido; él no entendía cómo funcionaban estos programas de RV. Parecía extraño que un personaje pudiera hablar de la otra como si fueran buenas amigas. Lisa sonrió, puso sus brazos alrededor de su cuello, y lo besó. Joe rápidamente olvidó sus preocupaciones.

Joe solo había querido olvidar el último ejercicio. Rick, sin embargo, se sentía satisfecho con su presentación; él había alcanzado su objetivo. Como no iba a poder aprovechar el premio de ir a las Bahamas como le habían ofrecido, se recompensó con un centro turístico virtual de 5 estrellas. Gabrielle se sentó junto a él en la piscina; nadie más estaba cerca. Era tarde en la noche, y el área estaba iluminada por lámparas y antorchas de bambú. Rick se relajó en el extremo poco profundo de la piscina, mirándola nadar. Finalmente, ella se detuvo y se unió a él.

—¿Vas a hablar con Gabrielle esta noche? —ella le preguntó, refiriéndose a su contraparte de la vida real.

—Todavía no lo sé —respondió—. No quiero terminar haciendo algo de lo que me vaya a arrepentir después.

Gabrielle se acercó más, envolviendo sus brazos alrededor de él. —Toma un riesgo —lo instó—. Vive un poco.

—¿Algo así como lo que estoy haciendo contigo? —preguntó Rick, abrazándola.

Gabrielle se rio; —Esto no es arriesgarse; esto ni siquiera es real.

—Se siente real —respondió con voz ronca, acariciando su cuello. Estuvieron en silencio por un momento, disfrutando el tiempo juntos—hasta que Rick se aburrió y cambió el escenario.

—¿Qué tal esto? —preguntó cuando aparecieron en una playa del Caribe. La luna estaba en lo alto, y el sonido de las olas se escuchaba suavemente, haciéndoles cosquillas en los pies.

Gabrielle sonrió y se arrimó más cerca de él para continuar donde se habían quedado. —Creo que debes encontrar a la verdadera Gabrielle —dijo con un tono suave—. No te va a decepcionar.

Rick asintió con su cabeza. Tendría que encontrar una manera de salir por la noche, y tenía que hacerlo sin decirle a Will y a Joe; él no quería involucrarlos.

Era casi medianoche y los tres compañeros de trabajo acababan de ver una película.

—Bueno, esto fue divertido, pero creo que iré a la cama —dijo Rick bostezando.

Will y Joe se miraron sorprendidos.

—¿En serio? Lo dudo. Estás planeando otro viaje virtual con tu novia, ¿verdad? —dijo Will.

Rick se rio, —Sí, me descubriste. Voy a llevarla a lugares donde tú nunca has estado. —Se levantó y salió de la sala. Joe lo siguió; él iba a la cama. Will se quedó en el sofá por un momento más. Él no sabía qué quería hacer. *Supongo que me acostaré también,* pensó. *Puedo leer hasta que esté lo suficientemente cansado para dormirme.*

Dos horas más tarde, Rick estaba sentado en su cama, considerando sus opciones: _¿Voy, o me quedo aquí?_ Si Will tenía razón y la cabaña tenía cámaras de vigilancia y monitores, fácilmente lo podrían atrapar en el cobertizo de almacenamiento. Por otro lado, realmente quería conocer a Gabrielle, y escuchar lo que ella sabía sobre el Sr. Conrad. El tiempo estaba pasando; Rick tenía que tomar una decisión.

Roy y Jim estaban sentados mirando las pantallas, esperando que algo emocionante pasara.

—En cualquier momento —susurró uno de ellos.

Jim sacudió la cabeza. —Creo que descubrieron que la cabaña está siendo monitoreada; saben que alguien está escuchando todo lo que dicen.

—Entonces, probablemente también sospechen que hay cámaras —dijo Roy—, lo que significa que solo usarán los programas RV.

—Probablemente —dijo Jim—. ¿En dónde estamos con la apuesta, cómo van los muchachos?

—Bueno, 'Lentes' ya hizo su tercer viaje, y todavía tienen dos días y dos noches. Así que todavía tengo oportunidad de ganar.

—Vamos a tener que ver el sábado por la mañana —dijo Jim, un poco preocupado.

Capítulo 9

El jueves por la mañana, los tres hombres se levantaron y rápidamente comieron su desayuno de tostadas francesas, huevos y tocino. Después de dar las gracias brevemente a Frederick, los hombres se apresuraron a entrar a la sala; tenían cosas que discutir. Pero primero, necesitaban un poco de ruido de fondo. Will seleccionó una película y la puso en la pantalla grande mientras que los otros dos se acomodaban en el sofá. Una vez que los créditos de apertura se desplazaron por la pantalla, Rick se volvió hacia los demás y dijo en voz baja:

—Casi lo hice.

Will entendió, pero Joe no lo había captado. —¿A qué te refieres? —preguntó.

Rick, pretendiendo ver la película, explicó: —Anoche

estuve a punto de levantarme y dirigirme al cobertizo. No me importó si me atrapaban, o incluso si me despedían de la corporación. Pero luego me di cuenta de que, si había una razón para dudar de Bryan Conrad, sería mejor hablar con él en persona, no a sus espaldas. —Se dio la vuelta para ver si sus compañeros entendían lo que estaba diciendo. —Estos programas virtuales, los de las chicas, realmente pueden jugar con tu cabeza —continuó—. Estaba a punto de hacer algo tonto, todo porque la Gabrielle falsa me estaba instando a hacerlo.

Will bajó la cabeza; él entendió muy bien. En su último encuentro con Jasmine, había bajado la guardia; y él sabía que, con más encuentros, sería una marioneta en sus manos.

Te entiendo —dijo Joe—. Cuando estoy con Lisa, quiero hacer todo lo que ella me pide que haga; no me preocupo por las consecuencias.

—Esto es espeluznante —dijo Rick—. Apuesto a que conocer a estas chicas en la vida real sería algo ordinario. Pero las que están dentro del programa son como chicas sensuales con súper poderes para jugar juegos mentales contigo.

—Genial... ahora sí estoy asustado —dijo Joe estremeciéndose—. ¿Qué tal si esta cabaña es un centro secreto de control mental para hacer que todos los empleados sean más *obedientes* al Sr. Conrad? Tal vez él no da recompensas y dinero a todos los que vienen aquí; él solo los hace sentir felices y como zombis.

Rick no se pudo contener; soltó una gran carcajada. Afortunadamente la película tenía mas volúmen que él. Así que los otros se le unieron y se rieron también.

—Apuesto a que te preocupa más el no obtener ningún premio a que te conviertan en un zombi —mencionó Will. Rick se rio aún más fuerte.

—Quizá tengas razón —dijo Joe con una sonrisa.

Will vio el reloj que estaba colgado en la pared: 8:45. La diversión tenía que parar.

—¿Tiene alguna observación de estos ejercicios Sr. Logan? —preguntó Rick.

Will pensó por un momento, y encogió los hombros. —Cada ejercicio da una pista de lo que se espera. Creo que lo único que podemos hacer es dar lo mejor que tenemos.

—Yo solo quiero que estos ejercicios se acaben ya —dijo Joe.

Rick sonrió y asintió. —No te preocupes mi amigo. Solo nos quedan dos días más de tortura, luego puedes regresar a tu rutina diaria.

—De regreso a tu estilo de vida sencillo —agregó Will, con un brillo en sus ojos.

Joe asintió; él prefería una rutina simple más que

completar ejercicios para tener un mejor estilo de vida. Entró a su habitación y se colocó los auriculares virtuales.

En un instante, Joe se encontró sentado a la cabecera de una mesa en una sala de juntas. Estaba acompañado por otros cinco empleados, uno de los cuales estaba usando un proyector para hablar sobre las cifras de ventas y los trimestres anuales. De vez en cuando, el joven miraba directamente a Joe, aparentemente haciendo la presentación a él. Usó una gráfica de barras para mostrar el número de ventas en períodos específicos de ciertos meses.

—Como puede ver, Sr. Campos, nuestras ventas no han aumentado en los últimos tres meses. Si continuamos así, nuestras ventas se reducirán significativamente.

Joe miró a los demás y desarrolló su papel. —¿Algunas sugerencias?

Una mujer joven que estaba sentada a su derecha habló. —Necesitamos una mejor estrategia de publicidad para que el producto sea más atractivo.

—Podrías usar un negligé y anunciar las pastillas; apuesto a que obtendrías más ventas —sonrió un joven sentado frente a ella.

—¿Qué tal si *tú* te pones un negligé para hacer

las ventas? —respondió ella enojada—. ¡Imbécil! —murmuró en voz baja. La respuesta fuerte de la joven provocó aplausos y silbidos.

Joe levantó una mano para calmarlos. —La idea es vender la pérdida de peso, no lencería lujosa. A pesar de tu comentario inapropiado, puede que tengas un punto: Las apariencias importan. ¿Qué tal si usáramos a una mujer joven, y a un hombre joven —agregó significativamente—, con abdominales definidos, como nuestros portavoces? Tendríamos que presentarlos de tal manera que los consumidores comprendan que nuestro producto se trata de verse saludable y sentirse mejor, y no de querer participar en un concurso de Miss América.

—Y es por eso, gente, que él es el jefe —dijo el hombre que estaba haciendo la presentación.

Joe sonrió, y luego preguntó: —¿Alguien más tiene alguna otra idea?

—Podríamos tener promoción de paquetes: que compren tres botellas y la cuarta sería gratis; o que compren una caja y la segunda sería a mitad de precio —sugirió alguien. Joe estaba tomando notas mentales. Tal vez reconsideraría tomar un trabajo en publicidad.

—¿Ideas? —le preguntó Rick de manera informal a la joven que hacía la presentación. El gráfico circular que ella había mostrado enseñaba que sus ventas estaban bajas. Él no estaba preocupado; pero como jefe, tenía que hacer algo al respecto.

—Conseguimos a una ex-Miss América para hacer un comercial con una de nuestras bebidas —sugirió un hombre de mediana edad.

Rick sonrió. —Esa es una buena idea, pero nos costaría bastante conseguir a alguien famoso. Debemos concentrarnos en algo que esté un poco más dentro de nuestro presupuesto.

—Una finalista del concurso Teen Miss América entonces? —sugirió alguien más.

Rick se levantó para demostrar quién estaba a cargo. —Qué tal este ángulo: Tomamos a alguien que no es famoso para que haga el comercial. Ellos dicen que son muy buenos amigos con alguien famoso, y que ellos usan nuestro producto porque ese amigo famoso también usa el producto.

Algunos de los miembros de la junta se movieron un tanto incómodos en sus sillas. —Pero si eso no es verdad, prácticamente nos estaríamos exponiendo para una demanda.

—No repercutirá sobre nosotros —respondió Rick—. Nuestro actor no famoso asumirá la responsabilidad de lo que dice y le ofrecerá a su amigo famoso una buena cantidad de dinero para compensarlo por cualquier pérdida. Sin embargo, el comercial tendrá que ser un poco ambiguo, así no sufriremos consecuencias.

—¿Qué tan ambiguo puede ser una persona después de decir que conoce a una persona famosa que usa nuestros productos? —preguntó alguien más.

Rick sonrió. —Todo está en el juego de palabras.

—Entonces, parece que vamos a estar en números rojos a fines del próximo mes —señaló el portavoz, apuntando a la gráfica en la pantalla grande que mostraba una línea constante en la parte inferior.

Will asintió y se dirigió a su equipo. —¿Qué podemos hacer para mejorar esto?

Un joven levantó la mano, y Will le hizo un gesto con la cabeza para que hablara.

—Deberíamos hacer mejores comerciales; necesitamos más publicidad. Tal vez podríamos encontrar algunas personas famosas para que salgan en nuestros anuncios.

Nuestro presupuesto no sería suficiente para contratar a gente famosa —dijo Will tranquilamente—, pero si tomamos a gente ordinaria haciendo cosas extraordinarias, nuestro producto se vería mucho mejor. —Los otros sonrieron, aceptando el comentario.

—En cuanto a nuestro mercadeo, sorpréndanme. No se sobrepasen. Necesitamos mantener un margen estrecho para ganar; necesitamos permanecer dentro de nuestro presupuesto para mover nuestro producto en una dirección ascendente. —Todos estuvieron de acuerdo y la reunión de la junta terminó.

Will se recostó, disfrutando del silencio de la habitación vacía. Consideró el ejercicio: Se dio cuenta de que a veces las condiciones para seguir adelante podrían resultar difíciles, pero que allí sería cuando los fuertes necesitarían manifestarse para seguir adelante. Sonrió ante la declaración del cliché que había escuchado de niño. De repente, una cuenta regresiva empezó en la pantalla donde estaban las gráficas. *Así como en las películas antiguas,* pensó Will. 10 … 9 … 8 … 7 … 6 … 5 … cuando llegó a 1, el programa terminó.

Will tomó su tableta y se sentó en su cama. Los ejercicios demostraron ser útiles, incluso si nadie lo admitía. La siguiente entrada fue reveladora:

Llave #6: Sé persistente

A veces, las cosas no se van a dar a mi manera, él pensó, *pero ahí es cuando tengo que seguir adelante.* Will dejó la tableta y se dirigió a la puerta. *Tal vez después de este ejercicio, los demás compartirían un poco más.*

—¿Cómo te fue? —La voz de Joe rompió el silencio mientras entraba a la sala, encontrando a Will indagando sobre un video para jugar.

Seleccionando el juego de carreras de motocicletas, Will insertó el juego antes de responder: —Creo que salió bien. —Queremos mejorar nuestro departamento de mercadeo para aumentar nuestras ventas.

—Tuvimos la misma idea —respondió Joe, viendo a Will jugar—. Me sentí bien en este ejercicio.

Will cambió de velocidad en su moto y manejó por una autopista en la ciudad, pero no fue suficiente para ponerlo en la punta. Pronto otras motocicletas lo estaban pasando de largo.

Joe sonrió. —Te sugiero que quites las carreras de tu lista de cosas que quieras hacer cuando seas grande.

—Simplemente no es mi día —se quejó Will mientras su moto se estrellaba y la carrera terminaba. Le ofreció el controlador del juego a Joe, quien decidió probarlo. Cuando comenzó la siguiente carrera y la motocicleta de Joe despegó, Will miró hacia el pasillo. *¿Dónde estaba Rick?*

De todos los lugares que Rick quería visitar, Brasil (especialmente durante su Carnaval) era el primero en su lista. La emoción, las calles repletas de gente, la música, la multitud bailando y cantando canciones tradicionales—todo hacía el carnaval de Río de Janeiro uno de los lugares más emocionantes para Rick. Pero por el momento, él no estaba afuera disfrutando del festival con los parranderos. Estaba en la habitación de un hotel—y uno no muy sofisticado— experimentando más de lo que él llamaba la vida simple. Estaba satisfecho con esta nueva experiencia que había elegido; sin embargo, no entendía que esta elección no había sido realmente suya. Gabrielle estaba interpretando bien su papel. Ella tenía puesta un conjunto de lencería brasileña para complacer a su invitado.

Rick se sentó en una silla junto a la ventana, mirando los fuegos artificiales que iluminaban el cielo nocturno. Bebió su piña colada mientras ella se sentaba en su regazo.

—Nunca conociste a la otra Gabrielle, ¿verdad? —Era más una afirmación que una pregunta.

Rick sacudió su cabeza. —Era muy arriesgado.

Gabrielle se rio suavemente mientras pasaba sus dedos por su cabello. —Tienes miedo del Sr. Conrad, el jefe que controla la vida de todos.

Rick guardó silencio, ni complacido ni ofendido por este comentario.

Ella continuó, —Tienes la oportunidad de hacer una diferencia. Puedes exponer lo que él es y tomar su lugar.

Rick la miró, confundido. —No hay pruebas de que haya hecho algo malo. Puede que sea un poco pesado a veces, pero no creo que haya infringido ninguna ley.

La joven se puso de pie, atrayendo a Rick con ella.

Solo piénsalo —dijo, sin querer presionarlo. Luego ella se inclinó y lo besó; él con mucho gusto le devolvió el beso.

Mientras Joe jugaba con entusiasmo infantil, Will caminó alrededor de la habitación. Cuando llegó a la estantería donde estaban todos los libros, notó que un libro estaba fuera de lugar. Todos los demás estaban alineados de acuerdo a su tamaño; este no. Lo sacó, con la intención de colocarlo en su lugar correspondiente, y se dio cuenta de que había una memoria USB pegada en la parte posterior. Como Joe estaba absorto en el juego, Will conectó su hallazgo al equipo de realidad virtual en el sofá. Lo encendió, pero lo único que vio fue una pequeña caja rectangular que decía «Ingresar contraseña». Will se quitó los auriculares RV y sacó el USB, colocándolo en su bolsillo. Él investigaría más tarde.

—¡Oye Will, te reto a una carrera! —gritó Joe. Esta vez había seleccionado un juego con autos veloces y un nuevo paisaje con diferentes pistas de carreras. Will asintió; probablemente perdería, pero se divertirían.

Rick tardó un tiempo en unirse a los demás; y cuando lo hizo, tenía poco que decir sobre el ejercicio. Aunque el juego estaba en pausa, se veían algunos autos exóticos: un Lamborghini Aventador detrás de un Ferrari LaFerrari y un Bugatti Veyron Super Sport.

—Creo que todo está en la forma en que haces tu presentación de ventas, y no en cuál es tu arma secreta —dijo Will—. Le dije a mi equipo que encontrara personas normales haciendo cosas geniales, personas ordinarias siendo extraordinarias.

—Eso es ingenioso —dijo Rick, aunque parecía distraído—. —Todo esto está bien, pero ¿qué sucederá cuando regresemos al mundo real? ¿Creen que Bryan Conrad nos dará algún tipo de reconocimiento, tal vez un aumento?

—No creo que esto se trate de llamar la atención del Sr. Conrad —dijo Will en desacuerdo—. Creo que se trata de conocer si podemos o no seguir instrucciones simples; quiere saber si puede contar con nosotros.

—¿Quieres decir, hacernos trabajar como esclavos

irracionales hasta que seamos demasiado viejos para que podamos hacer algo al respecto? —preguntó Rick con amargura.

Will no respondió. *Me pregunto si Rick tuvo una mala experiencia con este último ejercicio.*

Rick respiró profundo y pidió unirse a la carrera. —Ten, toma mi lugar —ofreció Will. Rick se sentó al lado de Joe y pronto los tres estaban disfrutando del juego. Pero Will estaba preocupado por su amigo: algo estaba pasando con Rick. Esto era algo más que solo expresar una duda.

Por lo general, la tarde era el mejor momento para relajarse porque tenían varias horas libres antes del próximo ejercicio. En este día, dos de los compañeros de trabajo salieron a tomar aire fresco y explorar un poco; el otro se quedó para tener otra aventura de realidad virtual.

No queriendo llamar la atención, Rick y Will se mantuvieron cerca de la cabaña. Mientras caminaban, Will le preguntó a Rick qué pensaba del retiro. Estaba preocupado por su amigo y quería entender lo que estaba pasando con él. Pero Rick no quería hablar.

—No, amigo, lo único que tengo que decir es que esto se siente como una especie de experimento

extraño, y nosotros somos los conejillos de Indias
—respondió—. Como ese programa de televisión
Survivor (Sobreviviente), solo que ésta es la versión
de negocios. —Profundizó su voz y narró—: Tres
empleados de la Corporación de Recursos de Vida se
ponen a prueba para ver quién está en mejor forma.

Will sonrió y siguió con la narración. —Pero no están
siendo probados en fuerza, sino en astucia.

Rick se rió y continuó con la broma. —No, este no es
un episodio de *La dimension desconocida*; ¡solo es un
programa loco de telerrealidad! —Ambos se rieron,
luego Rick se puso serio. —Nuestro jefe es el titiritero,
y estamos siendo movidos por cuerdas —añadió con
amargura. Will no dijo nada, pero sintió una profunda
preocupación por su amigo y compañero de trabajo.

Después de dos viajes virtuales a Hawái (aunque uno
era por trabajo), Joe decidió probar otro entorno. Esta
vez, eligió Universal Studios en Hollywood. Subirse a
los juegos en un mundo virtual no era tan diferente,
y los juegos eran casi igual de divertidos. Él y Lisa
salían del parque y se dirigían a CityWalk para tomar
un café y un pastel. Cuando encontraron una mesa,
Lisa acercó su silla a Joe, y veían pasar a los turistas
de diferentes países.

—Eres tan dulce que podría comerte —dijo Lisa con

cariño. Joe se sonrojó, disfrutando de la adulación. —Deberías estar a cargo de recursos humanos o algo similar. — Ella le besó la mejilla.

—¿Un gerente en el departamento de recursos humanos? —preguntó él incrédulo.

—Sí —afirmó ella—, pero no creo que tu jefe vea lo que tiene enfrente de él. —Continuó ofreciendo besos suaves, que él regresó efusivamente. Se activó una alarma en el reloj de Joe, el sonido de un gallo cantando, y supo que su tiempo casi había terminado; ofreció un triste adiós antes de terminar el programa. Pero esa conversación final estaba ahora tatuada en su mente: Él era alguien importante, y su jefe no le prestaba la atención que merecía.

Will encendió el programa, preguntándose si tendría que tratar con personas nuevamente; esperaba que no. Mientras el mundo virtual entraba en enfoque, se encontró corriendo por un sendero solitario lleno de árboles. Miró hacia adelante pero no pudo ver el final del camino. ¡Espera! Estaba trotando, no corriendo; él tenía ropa deportiva y zapatillas. Su reloj, en modo cronógrafo, estaba programado para 25 minutos. *¿Habrá alguna razón por la cual está puesto a esa cantidad específica?* se preguntó a sí mismo. Will siguió trotando, obviamente sin cansarse. Miró su reloj otra vez y notó el ícono del corazón palpitante;

el monitor de frecuencia cardíaca mostró un latido cardíaco regular, lo que significaba que el ritmo era lento y constante. Debió de haber estado trotando por un buen tiempo sin sentirlo. *Esto es ridículo*, pensó Will. *¿Cuál es el sentido? Me pregunto qué estarán pensando Rick y Joe. ¿Será que ya se rindieron?* De repente, recapacitó: Este ejercicio era simbólico. No era su rendimiento de ventas lo que estaba siendo probado, sino su resistencia; su motivación para seguir adelante estaba siendo evaluada. Will sonrió y siguió trotando. No estaba seguro de cómo terminaría el ejercicio—tal vez el camino desaparecería y él tendría que detenerse—pero una cosa sí le quedó claro: No se trataba de cuán rápido corría, sino qué tan lejos iría. Así que siguió corriendo—hasta que su reloj finalmente sonó. Disminuyó la marcha, presionó el botón para detener la alarma y el paisaje se desvaneció, aunque no desapareció del todo. Un árbol permaneció visible, y cuando se acercó, notó que dos palabras habían sido talladas en la corteza. Will colocó su mano sobre el árbol y se leyó las palabras a sí mismo. El árbol desapareció al instante. Will se quitó el auricular virtual y recogió su tableta para escribir una nueva entrada:

Llave #7: Sé Paciente.

A medida que una persona comienza su negocio, es posible que espere recibir recompensas inmediatas o algún tipo de reconocimiento por su empresa audaz. Y si no sucede, podría desanimarse. Lo más fácil sería darse por vencido y volver a lo que sea que estaba haciendo antes de tomar el riesgo. Lo importante, él escribió, era continuar—lenta y constantemente. Necesitaba estar dispuesto a seguir con el buen trabajo.

Will se sentó y buscó en su bolsillo la memoria USB que había descubierto accidentalmente. La puso en la cama y volvió a recoger su tableta. Esta vez él escribió:

Contraseña: Responsabilidad

El éxito a la manera CORRECTA

TERCERA PARTE

Capítulo 10

El árbol estaba situado solo. Will se acercó y leyó las dos palabras que estaban talladas en su tronco: *Contraseña: Responsabilidad.* Will se sentó en el sofá, ansioso por explorar la misteriosa memoria USB que había encontrado en el libro desubicado. Era extraño que la respuesta que había necesitado estuviera oculta en un ejercicio—como si el Sr. Conrad hubiera planeado todo desde el principio. Cuando insertó el dispositivo, apareció de nuevo la pequeña caja rectangular que pedía una contraseña y Will ingresó la palabra que se le había dado. Cuando comenzó el nuevo programa, Will se encontró en una sala convencional llena de estanterías. Nada estaba fuera de lugar, por lo que Will pensó que no había ninguna clave secreta que descubrir en ese momento—y tenía razón.

—Bienvenido a *mi* espacio privado, señor Logan.

Will se sorprendió al ver al Sr. Conrad sentado frente a él; pero cuando su jefe titiló como una pantalla de televisión, Will entendió que solo era una proyección, un holograma.

—Me imagino que ahora te estarás dando cuenta de que he grabado este mensaje. Tu interés en los libros y tu desempeño en cada ejercicio fueron pistas que me llevaron a pensar que *tú* serías el que lo encontraría. Tú eres el primero en llegar hasta aquí, el primero en merecer este mensaje. —Will se acomodó y escuchó. —En primer lugar, no soy un tirano. Segundo, los secretos no tienen lugar en nuestra compañía. Déjame ser claro: *Nunca* violaría la privacidad de una empleada. Sin embargo, algunos de mis empleados han sido sometidos a cámaras y micrófonos escondidos. He estado monitoreando estos casos especiales en busca de posibles líderes o potenciales enemigos de la compañía.

Will bajó la mirada, pensando en Rick. ¿Era él un enemigo potencial?

—No quiero aburrirte con los detalles, así que déjame ir al grano: El próximo paso es un ejercicio extra solo para ti.

Will se enderezó en el sofá, prestando mucha atención.

—Después del ejercicio de esta noche, recibirás el mensaje para ingresar nuevamente la contraseña. Esta vez, serás llevado a un lugar donde aprenderás más sobre mis intenciones para la compañía. A medida que pases la prueba final, recibirás más respuestas, esperando que sean suficientes para dejar en claro que no tengo intenciones maliciosas hacia mis empleados. Pero hay una cosa en la que debo insistir, y sé que no será fácil....

La pausa duró por lo menos tres segundos, y Will casi gritó al holograma como para despertarlo.

—No menciones de este descubrimiento a Rick o Joe. Esto es *solo para tus ojos*. Tendrás tus respuestas después del próximo ejercicio y examen. Así que por favor mantén silencio hasta el sábado por la mañana; lo explicaré todo ese día y compartiré esto con los demás. Gracias, William

El programa terminó y Will se quedó sentado, aturdido. ¿Qué podría esperar encontrar en el ejercicio extra?

Un día más era el pensamiento principal de todos allí mientras comían su desayuno de huevos, tocino, frijoles y pan tostado. El ambiente estaba extrañamente callado: Joe estaba cansado y listo para terminar el entrenamiento inusual al que estaban siendo sometidos. Rick estaba confundido y frustrado con el Sr. Conrad—aunque no estaba seguro de por qué. Will parecía feliz; en realidad estaba ansioso por empezar el siguiente ejercicio.

—No creo que el Sr. Conrad me haya prestado suficiente atención. No creo que él aprecie mi trabajo —espetó Joe, rompiendo el silencio.

—¿Qué? —Will estaba confundido.

Rick se miraba irritado. —¿Y qué? No importa. Solo terminemos nuestro desayuno en paz, ¿de acuerdo?

—¿Cómo que no importa? —respondió Joe enojado—. ¡A mí sí me importa!

—Bueno, tranquilícense muchachos. Todos estamos cansados. Los ejercicios del Sr. Conrad ya nos están afectando; estamos empezando a imaginar cosas —dijo Will, tratando de tranquilizarlos.

—Tú no pareces estar afectado. ¿Hay algo que no nos estás diciendo? —preguntó Rick sospechosamente.

Will trató de no tener cara de culpa. Hace unas horas, su respuesta habría sido un simple «No», pero las cosas eran diferentes ahora. En cambio, escogió decir:

—Lo único que puedo entender es que el Sr. Conrad nos está empujando a nuestros límites. Creo que quiere ver si estamos listos para algo más grande, tal vez incluso algo mejor. Necesitamos mantenernos tranquilos un día más.

Rick se apartó de la mesa, no muy contento con la respuesta. Se retiró y sin decir nada salió del comedor.

Joe se levantó, tomó un último trago de su café y también se fue. Will los vio irse, luego notó la hora; eran cerca de las nueve en punto. No había nada más que hacer hasta después del próximo ejercicio.

Joe parecía que no había dormido la noche anterior; su cara estaba pálida, y sus ojos estaban enrojecidos. Mientras ajustaba los auriculares RV para el siguiente ejercicio, murmuró a sí mismo (en español). El programa comenzó, y su primer pensamiento fue, *¡Ay, caramba!*

Rick no podía creer lo que veía. ¡No tenía sentido! En el ejercicio anterior, se había visto obligado a correr por un camino largo y aburrido. Ahora lo habían metido en un pequeño dormitorio lleno de ropa, libros, zapatos y juguetes para niños; ¡el lugar era un desastre!

—¿Qué diablos estás haciendo, Bryan? —gritó Rick con desesperación. Se dio vuelta lentamente, observando el desorden. Sintiéndose abrumado, corrió hacia la puerta e intentó abrirla. No había sorpresa allí, la puerta estaba cerrada con llave. Iba a necesitar una llave especial para salir. Rick se rio, casi histérico. —¿En serio? ¿Tratar de escapar de la habitación? ¡Esto es una locura! —Se sentó en la cama e intentó calmarse. *Piensa, Rick, piensa.* Había jugado un juego una vez que incluía encontrar una clave siguiendo las pistas. Tal vez eso era lo que necesitaba hacer. Entonces recordó lo que Will había dicho en el desayuno. Respirando profundamente, dijo: —Muy bien, nos estás empujando a nuestros límites. Así que voy a resistir. —Con eso, se levantó y comenzó a recoger las cosas del suelo.

Éste tampoco era un ejercicio fácil para Will; la habitación—*probablemente perteneciente a un niño de 7 u 8 años*, pensó—era un verdadero desastre. Pero era obvio que no llegaría a ningún lado hasta que se llevara a cabo una reorganización. Will comenzó con los zapatos; los recogió y los colocó en las cajas de cartón en el fondo del armario. Luego, se encargó de los libros. Había una estantería con solo un libro; era hora de darle algo de compañía. Miró en el armario, debajo de la cama, alrededor de la mesita de noche, e incluso detrás de la cortina de la ventana y encontró 24 libros—que, sumados al que ya estaba en la estantería, hicieron 25 libros en total. ¿Sería importante la cantidad? Él no lo sabía. Will procedió a la próxima tarea: La ropa tirada por todas partes. La recogió y dobló las camisas y los pantalones, colocándolos en las gavetas del vestidor; colgó las chaquetas y suéteres. Estaba a punto de seguir adelante cuando se dio cuenta de que no había contado la cantidad de prendas que había. Regresó al tocador y contó las prendas que acababa de guardar; luego contó las cosas que había colgado en el armario. Había 18 piezas en total. ¿Y los zapatos? Había seis pares.

Will miró a su alrededor, sintiéndose bien con lo que ya había logrado; la habitación se estaba viendo mucho mejor. Ahora, a la tarea más difícil. *Este chiquillo sí que es afortunado. Mira todos sus juguetes, desde soldados de juguete hasta maquetas de autos casi del tamaño de cajas de zapatos,* pensó. Por suerte, había un gran contenedor etiquetado JUGUETES contra una pared. Sería fácil meter todo ahí. Él se puso a trabajar. Cuando colocó la última bola dentro de la caja, Will hizo un conteo rápido; había recogido 15 juguetes. Entonces, en orden descendente, sus números fueron 25, 18, 15 y 6. ¿Significarán algo? Nuevamente, no lo sabía. Sumándolos, el total era 64. Miró a su alrededor, pero nada parecía coincidir con el total. Luego recordó cómo había encontrado la memoria USB en el libro extraviado. También se había colocado un solo libro en el estante de esta habitación. Se apresuró y sacó el libro. *Bingo,* pensó. *Tiene un código de combinación: cuatro candados de discos giratorios para encontrar la clave.* Giró el primero a 25, el segundo a 18, el tercero a 15 y el cuarto a 06. Will sonrió y jaló de la cerradura para abrir el libro—pero no se abrió. Tal vez el orden de cómo había limpiado era importante. *DE ACUERDO. Empecé con los zapatos, luego seguí con los libros, la ropa y los juguetes: 06, 25, 18 y 15.* Giró los discos, pero el libro aún no se abrió. Will frunció su frente, *¿Será el orden equivocado?*

—¡Espera un minuto! Encontré 24 libros, sin contar

este —dijo en voz alta. Cambiando los números en la segunda vuelta a 24, Will probó de nuevo. ¡Sí! El libro se abrió fácilmente. Will no pudo evitar su sonrisa. Sacó la pequeña llave metálica que estaba pegada dentro del libro y corrió hacia la puerta. Encajó; la puerta se abrió, y la habitación lentamente desapareció.

Joe estaba admirando los autos de juguete. Con un suspiro, los tiró al cubo de JUGUETES, dándose cuenta de que tenía que terminar el ejercicio.

—Me siento como un niño pequeño que ha sido castigado —murmuró. Se tomó un momento para contar los objetos. Ya había descubierto que la cantidad y el orden eran importantes, pero no sabía por qué.
—Genial, tendré que desordenar la habitación otra vez. —Paseó por la habitación hasta que se detuvo frente a la estantería. Ese libro—el único que había quedado en su lugar, recordó. Lo sacó y vio el candado de combinación. —¡Ándale! —gritó. Le tomo varios intentos; pero eventualmente ingresó la combinación correcta, y el libro se abrió. Encontró la llave, se acercó a la puerta y dijo: —*Adiós, chiquito.* —Cuando giró la cerradura, la habitación se desvaneció.

Capítulo 11

Una vez más, Will ingresó la contraseña RESPONSABILIDAD en el programa para comenzar el ejercicio adicional. No le sorprendió que estuviera de regreso en la sala con todos los libros. El Sr. Conrad había dicho que respondería muchas preguntas en este programa, por lo que un cambio de escenario no era importante. Viendo los estantes, imaginó que encontraría una pista escondida en algún lugar entre los libros. Recorrió con el dedo los títulos hasta que encontró uno que le llamó la atención: *Gabrielle*. Lo sacó, y el holograma del Sr. Conrad apareció nuevamente, esta vez sonando más profesional.

—Hubo tres señoritas, no empleadas de la Corporación de Recursos de Vida, que aceptaron ayudarme en mi programa de realidad virtual. Gabrielle, Jasmine y Lisa se ofrecieron voluntariamente para crear sus propios avatares y ser parte de los ejercicios. Comenzaron como tutores, pero pensé que serían distracciones, así que separé sus programas. Uno de mis técnicos me convenció de convertirlas en instigadoras. No estaba de acuerdo con la idea, pero por mayoría de votos rechazaron mi opinión. La junta directiva de la compañía pensó que sería interesante ver hasta qué punto las jóvenes podían manipular los pensamientos de los empleados. —El holograma se detuvo y suspiró—, No estoy orgulloso de esto. Algunos empleados han renunciado; sin embargo, aquellos que han continuado con nosotros han demostrado ser trabajadores leales.

Influencia negativa, pensó Will.

—Una cosa más, no debes compartir esta información hasta que el retiro termine —agregó el Sr. Conrad antes de desaparecer. Will frunció la frente. Will no quería guardar secretos de sus amigos, pero ¿qué opción tenía?

Will volvió a leer detenidamente los títulos de los libros. Estaba claro que solo algunos de ellos podrían activarse. Escuchó otras tres grabaciones: una de ellas le dio una percepción del Sr. Conrad; otro profundizó en los antecedentes del Sr. Conrad, y el tercero describió la visión del Sr. Conrad para la empresa.

Había un libro más que Will quería ver antes de cerrar el programa. El título era *Diez llaves para abrir la puerta al éxito financiero.* La imagen holográfica del Sr. Conrad apareció nuevamente cuando Will abrió el libro.

—Te has encontrado con ocho llaves, las cuales revisaremos en un momento. Las dos últimas deberían ser obvias; sin embargo, si no las descubres, recibirás la respuesta el sábado por la mañana.

—Llave #1—Sé tú mismo. Como tu jefe, no puedo trabajar con personas que no son ellas mismas. No me interesa contratar a quienes pretenden saber más, ser más o actuar más de lo que son. Los empleados que actúan como ellos mismos son entrenados más fácilmente; son capaces de crecer y mejorarse. Nuestra empresa no está interesada en los trabajadores que intentan deslumbrarnos con atributos falsos. Queremos que sean ustedes mismos.

Will miró a su alrededor para buscar una tableta electrónica virtual; él quería tomar notas. Esto era mejor que sus propias notas.

El Sr. Conrad continuó: —Llave #2—Sé creativo. Esta llave no se trata de obtener ganancias; se trata de encontrar—y usar—tus talentos ocultos. Queremos saber de lo que eres capaz para poder hacer un buen uso de ello, para el beneficio de la empresa y para ti.

—Llave #3—Sé seguro de ti mismo.

Will rápidamente agregó el nuevo título; recordó que había usado las palabras *valiente y confiado* en sus propias notas. Debes saber quién eres y usar tus fortalezas.

—Llave #4—Mantente enfocado. Cuando tienes un trabajo que hacer, hazlo. No permitas que nadie ni nada te distraiga de tu trabajo.

—Llave #5—Sé honesto. En la publicidad, es fácil vender mentiras, fácil de manipular un producto. No cruces esa línea. Tus clientes preferirán que digas las cosas tal como son; preferirán que no lo endulces.

Will pensó en Rick con su lengua persuasiva; él probablemente mentiría para aumentar sus ventas. Will enfocó su atención nuevamente a lo que el Sr. Conrad estaba diciendo:

—Llave #6—Sé persistente. Cuando las cosas pintan mal, no te angusties; no es el fin del mundo. Tómate un tiempo para reorganizarte. Piensa en nuevas ideas y luego sigue adelante.

Will sonrió y pensó, *Le di en el blanco con ese punto.*

—Llave #7—Sé paciente o sé firme.

Excelente, pensó Will. *También entendí eso.*

—La fama no se logra en un día, por lo que aquellos que no se dan por vencidos eventualmente alcanzarán sus metas.

Will se acercó para escuchar la llave final. Tenía una idea de lo que sería, pero quería escuchar lo que su jefe tenía que decir.

—Llave #8—Sé Organizado.

—¡Sí! —gritó Will, y en seguida se tapó la boca.

—A veces, las situaciones y circunstancias pueden salirse de control; quizá quieras hacer demasiadas cosas a la vez. Así que mantén la vida simple. Mantente organizado, y no te dejes llevar por varias cosas al mismo tiempo.

Will se recostó, sintiéndose satisfecho.

—Eso es todo lo que puedo decir en este momento —continuó su jefe—. Pero al final de este retiro, tendrás una mejor idea de lo que se espera de ti, no solo en cuanto a tu trabajo en la empresa, sino en lo que respecta a tu vida. —Con eso, el holograma desapareció.

Mientras se quitaba los auriculares RV, Will se dio cuenta de que estaba en una mejor posición que sus compañeros de trabajo. *Un día más*, pensó. *Necesito animar a los demás y hacerles saber que esto ya casi termina.*

—¿Una habitación de escape? ¿Cómo es importante eso para este retiro empresarial? —Rick estaba molesto y no podía enfocarse en el lado positivo del ejercicio. Los tres compañeros de trabajo estaban disfrutando de su almuerzo final en la sala mientras miraban una película clásica. Will miró a Joe; él tampoco se veía muy bien. ¿Cómo era posible que dos chicas virtuales perturbadoras pudieran alborotar tanto a estos hombres? No tenía sentido.

Rick se levantó y se dirigió hacia la puerta principal de la cabaña. Joe y Will intercambiaron una mirada de sorpresa.

—¿A dónde vas? —pregunto Will.

—Ya estoy harto. Voy a ir al cobertizo para ver si Gabrielle me vuelve a responder.

—Espera, Rick —dijo Will mientras corría tras él, y Joe siguiéndolos—. No creo que Gabrielle sea real. Creo que todo esto es una prueba.

Rick se dio vuelta para enfrentarlo. —¿Estás diciendo que estas chicas no existen? ¿Cómo sabes eso? Yo ciertamente no lo sé. A menos que sepas algo que nosotros no sabemos, y si es así, ¿cómo te enteraste? Has hecho los mismos ejercicios que nosotros.

Will abrió la boca para responderle, pero Rick ya se había enfilado hacia el cobertizo.

—Yo también voy a ir. —Joe estaba de acuerdo con Rick.

Will los miró irse; se dio cuenta de que no iba a cambiar sus opiniones. *Los van a descubrir y probablemente despedir de sus trabajos.* Él suspiró. —Esta bien, vamos. Primero, tenemos que dejar al tráiler fuera de acción.

—Will Logan, es la primera vez que te conviertes en un pequeño delincuente. —Rick sonrió con picardía cuando su amigo los alcanzó—. ¿Qué es esto de dejar al tráiler fuera de acción?

Will expuso su plan, convenciendo a los demás de que tenían que sabotear el tráiler para que el espía asignado no le informara a su jefe de lo que sucedía.

Roy estaba mirando desde su silla. No estaba seguro de qué discutían los tres hombres, porque no había escuchas ocultas afuera de la cabaña. Pero después de la discusión, notó que el trabajador latino regresó a la sala. Agarró un videojuego y comenzó una carrera, chocando su auto varias veces. Eso divertía a Roy. *El chico latino ya está perdiendo los papeles*, pensó. El guardia de seguridad le siguió prestando atención a la sala, por lo que no percibió a la figura que apareció brevemente en la pantalla inferior, la cual mostraba la entrada al tráiler.

Rick vio la cámara e inmediatamente se movió fuera de su campo visual. Esperó un momento, esperando que nadie lo hubiera visto. Cuando la puerta no se abrió, Rick supo que estaba a salvo. Atrancó la puerta desde afuera, y luego se unió a Will, que estaba cerca.

—Muy bien, ya está hecho —anunció.

—Hagámoslo rápido —dijo Will mientras los dos hombres corrían hacia el cobertizo.

—Menos mal que Joe aceptó cubrirnos —dijo Rick—. Puede que él nos dé el tiempo que necesitamos.

Llegaron a su destino final y abrieron la puerta. Rick prendió la computadora mientras Will ansiosamente miraba por la ventana.

—¿Y si Gabrielle no existe? —preguntó Will nuevamente—. ¿Y si el correo electrónico es enviado al hombre que está en el tráiler? Cuando él trate de salir, nosotros seremos pillados.

—No va a ser así, y no nos pillarán —dijo Rick con seguridad. Él sabía que la chica virtual era real, o al menos esperaba que lo fuera. —Todo la culpa caerá sobre mí. Tu querías detenerme, pero yo insistí, así que no te culpes.

El correo electrónico fue enviado, y una respuesta llegó minutos después. Rick lo abrió y leyó:

Hola Richard,

No te culpo por no haberte reunido conmigo anoche; sin embargo, esto no puede esperar. Juntémonos en el cobertizo de almacenamiento. Estaré ahí en una hora.

Gabrielle

146

—Está bien —Rick exhaló el aliento que no sabía que había estado conteniendo. Miró por encima de su hombro hacia Will, que parecía estar preocupado. —Regresemos a la cabaña y actuemos como si nada ha pasado. Podemos ver una película o jugar un juego, y yo regresaré aquí a la hora.

—Yo regresaré contigo —afirmó Will, cruzando sus brazos. Rick lo miró por un momento, y luego asintió la cabeza en acuerdo.

Joe estaba cansado de estrellar su auto. Quería dejar de jugar al videojuego, pero no sabía si los otros habían terminado. Acababa de reiniciar la carrera cuando escuchó:

—Oye Joe, deja de tratar de conducir ese auto; es demasiado para ti —dijo Rick al entrar a la sala—. Es el último día; quiero que veamos otra película clásica. ¿Te incomoda?

Will ya estaba eligiendo la película y configurando los controles. Joe sonrió y detuvo el juego. Los tres hombres se acomodaron para ver la película y la banda sonora comenzó a tocar. Cuando Rick pensó que ya no los podían escuchar, puso a Joe al día de lo que había pasado con el correo electrónico y la respuesta de Gabrielle. Pasaron los siguientes minutos hablando de lo que sería su siguiente movida.

Roy se estaba cansando de estar sentado en el mismo lugar; se estaba cansando de vigilar a tres hombres que no hacían nada más que mirar una película. *Me estoy cansando y punto*, pensó. *Este trabajo es muy aburrido—y hay muchas posibilidades de que pierda la apuesta con Jim.* Suspiró y se levantó para estirarse un poco; necesitaba un poco de aire fresco. Fue hacia la puerta y probó la manija, pero no se movió. Lo intentó varias veces antes de darse cuenta de que estaba atascado. Él sacó su teléfono celular e hizo una llamada.

—Oye, viejo, sé que todavía te faltan unas horas antes de tu turno, pero la puerta está trabada; no puedo salir.

Una carcajada hizo que Roy retirara el teléfono de su oreja. Escuchó lo que se dijo al otro lado del teléfono y luego respondió:

—No puedo quedarme atrapado aquí por otras tres horas. ¿Qué tal si te doy un pequeño porcentaje de mi apuesta para que vengas temprano?

Él siguió escuchando varios segundos.

—¿Quieres que te pague por llegar temprano y quieres que te dé $100 si llegas aquí en menos de una hora? ¡Olvídalo! —Roy colgó el teléfono y se sentó. No perdería su dinero por algo tan estúpido como quedarse atrapado en el tráiler.

Una hora más tarde, Rick se dirigió a la cocina; Will lo siguió unos segundos después.

—Está listo —dijo, marcando cuatro minutos en el microondas.

—Muy bien, hagámoslo —dijo Will, haciendo una señal con su pulgar.

Rick presionó el botón START, y los dos salieron corriendo de la cabaña, riéndose como niños huyendo de sus travesuras. Joe, quien se había quedado para terminar la película, escuchó una explosión. Saltó y corrió a la cocina. Le tomó un momento descubrir la razón del ruido: una bolsa de patatas fritas había estallado dentro del microondas. Joe sacudió su cabeza y gritó:

—¡Eso no fue gracioso muchachos!

Al abrir el microondas, susurró—: ¡Tengan cuidado, y por favor apúrense! —Luego limpió el desastre.

Rick estaba parado afuera del cobertizo de almacenamiento. La puerta estaba abierta, y el candado estaba en el piso.

—Cerramos cuando nos fuimos, ¿verdad? —le preguntó a Will, quien asintió con la cabeza. Ambos hombres entraron lentamente y se congelaron.

Gabrielle estaba allí, una copia perfecta del programa virtual.

—Richard Hamilton y William Logan, es un honor —la mujer pelirroja se les acercó con la mano extendida.

Rick estaba demasiado atónito como para responder, así que Will intervino.

—Es un honor conocerte también, aunque las circunstancias no son muy claras —respondió, estrechándole la mano—. Rick dice que querías hablar con él sobre el Sr. Conrad. ¿Es así?

Gabrielle asintió con la cabeza. —Me temo que no son buenas noticias. El Sr. Conrad me contrató, junto con otras dos mujeres jóvenes, para un programa de realidad virtual que dijo que usaría para entrenar a sus empleados. Nuestro empleo fue temporal; así que cuando completamos nuestra parte, nos pagaron y nos dijeron que ya no nos necesitarían. Pensamos que eso fue todo —hizo una pausa, y los hombres se prepararon—. Pero, uno de los miembros de la junta me llamó para decirme que Bryan Conrad estaba usando los programas para propósitos *adultos*—y en privado, ganando dinero con ellos.

Rick, encontrando su voz, al fin habló: —No sé si te refieres a algo más que lo que ha estado sucediendo en la cabaña; no he visto nada. ¿Tienes pruebas? Sin pruebas concretas de que el Sr. Conrad está haciendo lo que dices que está haciendo, esto podría ser solo un rumor o algo para desacreditarlo.

—Para obtener la prueba que necesito, debo recuperar los programas; y las únicas copias son las de la cabaña. Los obtendría yo misma, pero no puedo debido a las cámaras; me verían. Entonces, la única forma es si uno de ustedes me los trae.

—¿Cámaras? —Will intentó actuar sorprendido.

—Ya deja de fingir, Will. —A Rick ya no le importaba si todos sabían que la cabaña estaba siendo monitoreada. —Yo iré, aunque todavía no entiendo cómo eso va a ayudar.

Gabrielle sonrió débilmente. —Tengo a alguien dentro de la compañía. Una vez que tenga los programas, mi contacto puede examinar los archivos para ver dónde se accedieron dichos programas, cuántas veces se accedieron y si fueron accedidos para uso personal o por trabajo.

Will observó fijamente a los dos. Quería detener a Rick, pero su compañero había tomado una decisión.

—Déjame hacer esto —dijo. Así que en contra de su mejor juicio, Will se hizo a un lado y vio a su amigo salir por la puerta.

Cuando Gabrielle se acercó a él, Will se volvió hacia ella y le dijo:

—Si lo que dices es cierto, ¿por qué no confrontas al señor Conrad tu misma? Pregúntale si lo que has escuchado es verdad? Incluso podrías obtener una orden de allanamiento para la cabaña.

La joven pelirroja negó con la cabeza. —Es mejor que él no sepa que tengo algo en contra de él; quiero pillarlo por sorpresa.

Joe terminó de limpiar el desastre en el microondas y regresó al sofá. Acababa de sentarse para terminar la película cuando Rick entró. No había esperado que sus amigos volvieran tan pronto; así que, por un momento, olvidó el papel que debía jugar. Recopilando su ingenio, volvió a su personaje y le lanzó a Rick una mirada sucia:

—Sé que fuiste tú, solo tú podrías pensar en algo tan juvenil. Me tomó una eternidad limpiar la cocina —alegó, fingiendo estar enojado.

Rick se rio. —Me conoces muy bien; pero te prometo que te lo pagaré.

Se dirigió al sofá, se sentó y recogió tranquilamente el equipo de realidad virtual. Girándolo, inspeccionó la parte inferior.

—Te diré algo —dijo—, la próxima vez que salgamos, te invito a un trago —prometió, buscando un disco duro—, y una caja de chocolates.

Bingo—un disco portátil con los programas de realidad virtual. *Este CD de inicio debería tener todo lo que Gabrielle necesita*, pensó mientras lo sacó despreocupadamente y lo guardó en su bolsillo.

—¿Tú, invitarme a un trago? —Joe estaba incrédulo.

—Te dije que lo haría. Pero ahora, estoy demasiado inquieto; Necesito tomar un poco de aire fresco —y se levantó y salió por la puerta principal. Joe asintió y siguió mirando la película. Estaba fuera de sus manos.

Will no estaba seguro de todo lo que estaba pasando: ¿Esto era algún tipo de juego o algo real? No tenía mucho tiempo para pensarlo, porque Rick regresó dentro de 20 minutos.

—El programa de inicio —dijo, entregándole el disco a Gabrielle.

La pelirroja sonrió y besó suavemente su mejilla. —Mi príncipe azul —dijo—. Te daré las gracias adecuadas después de tener la evidencia en su lugar.

Gabrielle se alejó, pero Rick la volvió a llamar: —Oye, ¿qué vas a hacer?

—Ya verás; volveré cuando el Sr. Conrad regrese

mañana a la cabaña. Tendrán asientos en la primera fila —y moviendo la mano en señal de despedida, se fue.

Rick y Will permanecieron en silencio por varios minutos. Las cosas estaban sucediendo tan rápido que no sabían qué decir.

Capítulo 12

El éxito a la manera CORRECTA

La misión secreta de los tres hombres había sido descubierta. No se necesitaba ser un genio para deducir que la puerta trabada del tráiler no fue un accidente; los únicos que pudieron haber hecho esto fueron los hombres que se quedaron en la cabaña. Jim aflojó el nudo de la cuerda que mantenía cerrada la puerta y sonrió. Cuando abrió la puerta y entró, dijo:

—De todos los empleados que el Sr. Conrad ha invitado aquí para sus retiros, este es el primer grupo que ha llegado hasta este extremo.

—Lo sé —afirmó Roy—. Me imagino que algunos de ellos se dieron cuenta que estaban siendo observados, pero de todos modos siguieron haciendo lo suyo. No retaron el estatus quo.

Jim asintió mientras tomaba su lugar para el turno nocturno. —Lo curioso es que no sé qué significa todo esto, o qué va a hacer el Sr. Conrad con estos tres. Me imagino que mañana por la mañana veremos.

El ejercicio final estaba por comenzar; parecía poco importante en comparación con lo que había sucedido antes. Will todavía estaba tratando de procesar lo que él y Rick habían hecho; no podía creer que se tomarían medidas legales contra el Sr. Conrad. Mañana por la mañana todo cambiaría. Se sentó en silencio pensando hasta que una alarma en su equipo de realidad virtual le dijo que estaba a punto de perderse el ejercicio final. Se colocó los auriculares virtuales y suspiró. *Un ejercicio más: el show debe continuar.*

Joe estaba en otro auditorio; el área de asientos estaba llena de gente. Un joven parado detrás de un podio sostenía un trofeo.

—Me siento honrado de presentar este premio a un hombre que ha recorrido un largo camino en este negocio. ¡Por favor, denle una cálida bienvenida al Sr. Joseph Campos, director ejecutivo de Campos Internacional!

La audiencia se puso de pie y comenzó a aclamar y aplaudir. Joe, que había estado parado a un lado, pensó: *¡Esto me parece mejor!* Su rostro se iluminó mientras se acomodó su traje rápidamente, y luego se dirigió al podio para recibir su recompensa y estrechar la mano del presentador. El joven silenciosamente se hizo a un lado mientras Joe se acomodaba en el podio. Miró a la audiencia, esperando que todos se sentaran. Una vez que estuvieron sentados, él dijo:

—No sé qué decir —la audiencia se rio entre dientes— ¡excepto, decir gracias! —Joe se detuvo como si estuviera recopilando sus pensamientos. —Se necesitan las personas adecuadas para comenzar un negocio —continuó—. He tenido la suerte de haberme rodeado de buenas personas. Es por el apoyo de todos ustedes que estoy aquí esta noche. ¡Muchas gracias! —Levantó el trofeo por encima de su cabeza, asintió una vez más a la audiencia, y luego se dio la vuelta para salir de la plataforma.

—Requirió mucho trabajo duro, ¡pero valió la pena! Y para ustedes escépticos que piensan que esto nunca podría sucederles, les digo: «Piénsenlo otra vez».

La audiencia aplaudió cuando Rick hizo una pausa. No estaba seguro de qué más decir; no se había preparado para dar un discurso. *Es como estar en la entrega de los Óscar,* pensó. *Todos están vestidos con sus mejores atuendos, y se están entregando premios. Una cosa que sé es que se siente bien estar parado frente a estas personas y decir todo lo que quiero a un público atento.* Cuando los aplausos cesaron, él continuó hablando por unos minutos más. Luego alzó su trofeo al aire y gritó: —¡Gracias de nuevo! ¡Ustedes son geniales!

Mientras Rick salía de la plataforma, una mujer joven con un vestido largo de gala se le acercó.

—Por favor sígame por aquí a la sala de espera, señor. Un fotógrafo se le acercará en breve —dijo.

Rick le sonrió. Cuando llegaron a la puerta de la sala de espera, él le tomó la mano y le preguntó, —¿Estás ocupada esta noche?

La chica se sonrojó. —Estoy libre en una hora.

Rick le ofreció una sonrisa deslumbrante (sí, se veía bien con su traje oscuro, pero pensó que su fama reciente es lo que le atraía más a la joven). —¡Estupendo! Encuéntrame aquí cuando hayas terminado —dijo.

Will era todo un galán en su traje nuevo al aceptar el trofeo y pararse detrás del podio. Hubo un momento de silencio mientras ordenaba sus ideas.

—Tengo que agradecer a mi esposa y mi familia; ellos siempre han creído en mi. También quiero agradecer al Sr. Bryan Conrad, cuya guía ha sido invaluable; no habría llegado tan lejos si no me hubiera dado la oportunidad al principio. —Will hizo una pausa, tratando de controlar sus emociones. —Gracias a todos por ser parte de esto; porque sin ustedes, esto no hubiera sido posible. ¡Gracias!

Will salió de la plataforma y recibió una última ovación. Entre bastidores, se le dijo que siguiera el pasillo hacia un área de espera. Cuando llegó, notó las lámparas y los telones de fondo, como si la habitación hubiera sido preparada para una sesión de fotos. Entró y una mujer joven con un vestido largo de gala se le acercó; ella tenía piel bronceada y ojos verdes.

—¿Jasmine? —preguntó sorprendido.

—Hola, William. ¡Felicidades! —dijo mientras lo llevaba a una silla para esperar al fotógrafo.

—¿Eres parte de estos ejercicios de trabajo ahora? —preguntó, pero ella ignoró la pregunta. Will se sentó en la silla y Jasmine inmediatamente se sentó en su regazo y comenzó a besarlo. Al principio él respondió, cautivado por el momento; pero luego dijo:

—No, Jasmine —alejándose—. Esto no es real—y tampoco está bien. —Él se levantó, obligándola a que se moviera, y caminó hacia el otro lado de la habitación.

Ella lo siguió. —Will, este es nuestro último encuentro; nunca nos volveremos a ver. Tú mismo lo dijiste: «Esto no es real», así que, ¿qué daño hay en aprovecharlo al máximo? —preguntó en voz baja.

Will se volvió hacia ella con una sonrisa triste. —Por ser alguien que no es real, definitivamente sabes qué decir. —Se inclinó y la besó en la mejilla. —Adiós, Jasmine. —Se abrió una puerta cercana, y Will la atravesó.

El ejercicio final se había completado. Will respiró profundo y exhaló lentamente. Se sentía como el rey de la sima: acababa de recibir un premio increíble, y había ganado una victoria moral. Caminó hacia la cama y se sentó. Al levantar su tableta, pensó, *Puedes estar parado sobre la cima del mundo, pero no olvides lo que se necesitó para llegar allí; y agradece a aquellos que te ayudaron a lograrlo.* Will sonrió y escribió:

Llave #9: Sé humilde.

Esa noche, los tres hombres se quedaron en sus habitaciones, emocionalmente exhaustos. Dos de ellos esperaban que la noche terminara lo más pronto posible. El tercer hombre, Will, temía la idea del día siguiente. No sabía qué haría Gabrielle con su evidencia; tampoco sabía lo que le pasaría a su jefe. El mensaje que había escuchado del holograma del Sr. Conrad no había mencionado nada sobre estas tres jóvenes con una agenda oculta en contra de la compañía. Toda la situación era inimaginable. Mañana su jefe les entregaría premios, y ellos le entregarían, ¿qué? ¿Una demanda? Will gimió y se acostó en su cama; necesitaba irse a dormir. En un par de horas, ciertos eventos se llevarían a cabo, y no habría posibilidad de volver atrás.

El éxito a la manera CORRECTA

Capítulo 13

—El desayuno está listo.

Cuando Rick, Will y Joe entraron al comedor, vieron que Frederick había preparado varias bandejas con una variedad de alimentos. Habían olvidado que hoy habría un buffet. Pasearon alrededor de la larga mesa, mirando lo que el mayordomo había servido: una variedad de cajas de cereales individuales, algunas frutas, una jarra con leche, jugos individuales de naranja y manzana, y una jarrilla de café. Frederick se había superado a sí mismo; pero por el momento, ninguno de los tres hombres estaba muy interesado en degustar una buena comida. Will tenía el estómago hecho nudos; ni siquiera podía ver los alimentos que estaban servidos bajo lámparas de calor. Se sirvió una taza de café y se sentó en la mesa del comedor. Rick y Joe se unieron a él, cada uno con su propia taza de café.

—No puedo creer que el Sr. Conrad haya estado explotando a esas mujeres —dijo Joe, rompiendo el silencio incómodo—. ¿Por qué haría algo tan malicioso?"

—Él... —Rick iba a comentar algo, pero un fuerte estallido lo detuvo.

—¡Eso no fue el microondas! —dijo Joe con un tono de pánico.

—Muchachos, ese sonido vino de afuera —dijo Will—, y sonó como un disparo. —Los hombres salieron corriendo por la puerta principal.

Había dos autos estacionados afuera: una limusina y un pequeño auto deportivo. Los hombres sabían quién había llegado en la limusina; Gabrielle debió haber conducido el otro vehículo. Ella estaba allí, acompañada de un hombre que llevaba puesto un abrigo, gafas oscuras y un sombrero de vaquero. Ambos enfrentaban al Sr. Conrad, quien no parecía complacido. Frederick, parado al lado del jefe y ya no pareciendo un cocinero común, acababa de disparar una pequeña pistola semiautomática en el aire. (Había salido mientras los hombres tomaban su café). Cuando llegaron a la escena, él estaba bajando lentamente su arma y apuntándola hacia el hombre con el sombrero de vaquero.

—Sé lo que quieres hacer, Gabrielle —dijo el Sr. Conrad—, pero no te saldrás con la tuya con esta absurda acusación.

Ella sonrió levemente. —Yo no estaría tan seguro de eso si fuera tú. Estoy entregándote una orden judicial, una citación —dijo ella mientras le tendía un sobre cerrado—. Depende de ti si quieres hacer las cosas de la manera difícil. —Los tres hombres se acercaron para escuchar la discusión.

—No hay necesidad de amenazarme —dijo el hombre con el sombrero de vaquero a Frederick—. Solo soy el mensajero. —Frederick lo ignoró, y siempre mantuvo el arma apuntándole.

—Esto ha ido lo suficientemente lejos —dijo Will en un susurro. Dejó a sus amigos y se acercó para pararse junto a Frederick.

—¿Estás loco? —dijo Rick con pánico, pero siguiéndolo.

El Sr. Conrad obviamente estaba enojado, pero mantuvo su voz tranquila.

—No hay necesidad de eso, Frederick; guárdala. Gabrielle, tú y tu mensajero pueden venir a mi oficina el lunes por la mañana. Estoy seguro de que podemos llegar a un acuerdo que nos beneficie a ambos.

La joven se cruzó de brazos, pero no se movió. Frederick movió su arma, esta vez apuntándola a la pelirroja.

—¡Espera, amigo, eso no está bien! —dijo Rick, parándose enfrente de Gabrielle—. No seas estúpido. Podrías ir a la cárcel por esto.

Frederick no dudó en decir: —Ellos no molestarán al Sr Conrad hoy. Se irán o sufrirán serias consecuencias.

Joe, que había estado a una corta distancia, ahora se acercaba a la tensa escena.

—Yo creo que usted es inocente, Sr. Conrad; esta petición no debería preocuparle en ninguna manera —dijo—. Pero, creo que debería tomar la citación antes de que alguien salga lastimado y resolver las cosas más tarde.

Su jefe lo miró un momento y luego volvió su mirada hacia la joven. Asintiendo, dijo, —¿Qué piensa, señorita Walker?

Ella hizo un gesto al hombre con el sombrero de vaquero, y éste se adelantó para entregar la citación. Cuando el Sr. Conrad tomó el sobre, un hombre mayor apareció en la escena. Tenía al menos 70 años y parecía estar cansado. Pero fue el revólver cromado de calibre .38 que llevaba—y que apuntó hacia el hombre con el sombrero de vaquero—lo que llamó la atención de todos.

—¡Aléjate, Jim! —gritó el Sr. Conrad, repentinamente preocupado—. No pasa nada aquí; todo ha sido un gran malentendido. Todo está bajo control ahora; guarda el arma.

Pero Jim, quien había estado despierto toda la noche, no estaba pensando claramente.

—¡Este hombre quiere hacerte daño! —exclamó.

Will se movió del lado de Frederick, y con sus manos en el aire, lentamente se acercó al hombre mayor.

—Nadie va a salir lastimado hoy, Jim. Baja el arma.

El anciano se quedó parado, mirando a su jefe y al hombre con el sombrero de vaquero, tratando de entender lo que estaba pasando. Will ahora estaba cara a cara con él.

—Está todo bien, Jim. Dame el arma —y extendió su mano, teniendo cuidado de no hacer ningún movimiento repentino.

Jim lo miró por un momento, luego le tendió la pistola para colocarla en su mano. De repente, el arma se disparó, y Will cayó al suelo.

—¡No! —gritó Joe mientras corría hacia Will.

—¡No! —gritó Rick también mientras se lanzó hacia Jim, quien había soltado el arma inmediatamente tras el disparo. Rick empujó el anciano al suelo y de allí giró para buscar el arma. En cuanto Rick recogió el arma, una alarma sonó dentro de la cabaña. El sonido fue tan fuerte que todos se quedaron paralizados donde estaban parados.

—¡Está bien, tranquilos! —dijo Frederick a todos, ahora sin su pistola semiautomática. Levantó un control remoto, que presionó para detener el ruido ensordecedor.

Will se levanto y sonrió. —Estoy bien, Joe. No sabía que te importara tanto —le dijo en forma de broma. Joe se levantó atónito, sin entender lo que estaba pasando.

—Felicidades, señores —dijo el Sr. Conrad—. Ustedes tres han actuado muy bien en esta prueba final. Todos los que están aquí el día de hoy han sido voluntariamente parte del espectáculo. Rick, Will y Joe: ya conocieron a Gabrielle y Frederick; ahora quiero que conozcan a Roy Green y Jim Sawyer, los dos hombres que los han estado monitoreando desde el tráiler.

El hombre del abrigo se quitó el sombrero de vaquero y sonrió a los tres compañeros de trabajo, que ahora estaban juntos.

Jim se acercó a Rick, tendiéndole la mano. —Lo siento amigo; todo fue parte del acto final.

Rick, confundido y sin palabras, le dio la mano.

—¿Están listos para desayunar ahora? —preguntó el Sr. Conrad—. Por lo menos yo sí lo estoy. Vamos todos adentro y comamos algo.

Mientras los otros se dirigían a la cabaña, Rick separó a Will y le preguntó:

—¿Cuándo te hiciste parte del espectáculo?

Will se encogió de hombros. —Apenas ayer. Gabrielle me contó todo cuando fuiste a la cabaña a buscar el disco.

Joe se rio para aliviar la tensión entre los amigos. —Vamos, muchachos, vamos a comer. Este retiro casi ha terminado; pronto nos iremos a casa.

Rick miró a Will, sonrió y le dio una palmada en el hombro. Los tres amigos se dieron la vuelta y se dirigieron hacia la cabaña.

Jim y Roy se excusaron de la celebración; tenían unos cheques con una suma bastante generosa de dinero esperándolos en el tráiler. Pero los otros disfrutaron del bufé, incluso los tres compañeros de trabajo que anteriormente no tenían ganas de comer. Joe se sirvió tres platos diferentes de comida antes de sentarse en la mesa.

El Sr. Conrad miró a sus tres empleados y su exasistente sentada a la mesa con él.

—Rick, Joe y Will, gracias por ser parte de este alocado retiro. Me gustaría felicitarlos por el carácter excepcional que han demostrado esta semana durante los ejercicios y el espectáculo final. —Dirigiéndose a la joven, dijo—: Gabrielle, has sido una pieza importante para la compañía; pero entiendo que necesitas extender tus alas y seguir adelante….

—Hasta que recibí un correo electrónico de Rick y supe que esta vez haríamos el acto final —se rio—. No quería perderme de ver esto hasta el fin. Sus reacciones no tuvieron precio —les dijo a los hombres.

Rick sonrió avergonzado; él aún no entendía su participación en todo este drama.

—¿Qué hay de tus programas? ¿Y los programas de Lisa y Jasmine? —preguntó él.

—Considéralas como distracciones muy convincentes —respondió ella—. Sabía de su existencia desde el principio. *No hay* ningún uso secreto de nuestros programas. ¿No es así, Sr. Conrad?

—No hay uso secreto de sus programas —confirmó—, al menos no que yo sepa. —Los demás se rieron y el Sr. Conrad continuó—: Sé que ésta ha sido una experiencia extraña y confusa. Descubrieron que estaban siendo monitoreados, pero quiero asegurarles que este retiro está diseñado para nuestros empleados varones. Nunca invadiría la privacidad de nuestras empleadas. Nuestra compañía tiene un retiro diferente en el que ellas participan. En este retiro—la mayoría de los hombres nunca van más allá de explorar el cobertizo de almacenamiento como ustedes lo hicieron.

Los tres amigos se miraron con expresiones ansiosas.

—No se preocupen —les aseguró—. No hay penalidad por explorar el cobertizo o por enviar un correo electrónico a Gabrielle; sin embargo, los ejercicios son un asunto diferente. Tenían parámetros, y los resultados fueron diferentes para cada caso.

—¿Quiere decir como correr por un largo camino o tratar de salir de un cuarto desordenado? —pregunto Joe.

—Los ejercicios fueron más sobre cómo cada uno de ustedes respondería a las personas en los programas —explicó el Sr. Conrad.

Rick bajó la mirada; tal vez su actuación no fue tan directa como el jefe hubiera querido.

—Me reuniré con cada uno de ustedes por separado para revisar sus respuestas; piensen en nuestra reunión como un informe. La manera en como se comportaron en cada ejercicio me mostró cómo era más probable que se comportarían en la vida real. Estaba buscando cosas simples, como creatividad en el lanzamiento y comercialización de su producto, confianza en sí mismos, honestidad en el funcionamiento de sus productos, persistencia y firmeza cuando las circunstancias no se veían bien para su empresa, organización en sus diferentes tareas y humildad después de que sus empresas tuvieran éxito. Estos rasgos no deberían ser limitados solo a sus vidas empresariales; deberían ser parte de sus vidas en general, formar parte de quienes son. Al señalar algunas acciones, espero que consideren tomar un mejor camino en el futuro.

—¿No falta otro rasgo, Sr. Conrad? ¿Uno que no ha mencionado todavía? —preguntó Will. Mientras escuchaba a su jefe describir brevemente las llaves de los ejercicios, se dio cuenta de que faltaba uno. Sin embargo, sus amigos no habían percibido la omisión.

—Así es, Will. El que omití es de simplemente ser todas esas cosas en la vida real.

Joe fue el primero en ser llamado a la reunión informativa, por lo que Rick y Will se dirigieron a la sala para esperar su turno con su jefe.

—En general, te fue muy bien, Joe —le dijo el Sr. Conrad a su empleado—. Un área a la cual sí debo llamar tu atención es tu enfoque. Estuviste distraído por los autos y el concurso de belleza.

Joe trató de esconder su sonrisa mientras su jefe hablaba.

—Deberías haber estado enfocado en tus ventas.

—El ejercicio con el camino largo midió tu paciencia. Quería que corrieras lo más lejos que pudieras, pero te detenías a cada rato. De nuevo, te faltaba enfoque; seguiste esperando que el ejercicio terminara.

—Te tomó un buen tiempo para empezar a trabajar

en la habitación desordenada; eventualmente, te diste cuenta de que no se limpiaría por sí misma—por lo cual empezaste a trabajar, y completaste el ejercicio.

—Estoy satisfecho con la forma en que progresaste esta semana, Joe. Sí, tienes un par de áreas que necesitas mejorar, pero aún así creo que estás listo para más responsabilidades. Me gustaría ofrecerte una mejor posición dentro de nuestra compañía. ¿Qué te parece un ascenso? —El Sr. Conrad sonrió ante la mirada de sorpresa de Joe. —Te daré tiempo para que lo pienses. Puedes darme tu respuesta cuando regreses.

—¿Regrese, Señor? ¿Va a haber otro retiro en esta cabaña? —pregunto él, un tanto confundido.

El Sr. Conrad se rio entre dientes. —Estoy hablando de cuando regreses de tu viaje con todos los gastos pagados a Hawái. Tú y tu esposa, Sandy, serán trasladados a Oahu para una estadía de tres noches en un hotel de cinco estrellas. Aquí están los detalles: boletos de avión, reservación de hotel y alquiler de auto. —Él entregó un paquete grueso a un muy entusiasmado Joseph Campos.

—¡Muchas gracias, Sr. Conrad! —Joe impulsivamente abrazó a su jefe. Luego su cara se puso roja cuando se dio cuenta de lo que había hecho. —Lo siento, Señor. No debería haber hecho eso.

Su jefe simplemente asintió. —De nada, Joe. Espero que tú y tu esposa lo disfruten —sonrió. Poniéndose de pie, le tendió la mano y dijo—: Déjame saber tu decisión sobre tu ascenso cuando regreses.

—Lo haré, Señor —dijo Joe, quien también se paró y tomó la mano de su jefe. Su cesión informativa había terminado.

El Sr. Conrad miró hacia la sala y llamó: —Rick, eres el siguiente.

Joe salió para mostrarle a Will sus boletos, y Rick se sentó, sintiéndose ansioso por lo que su jefe le diría.

—Rick, tienes muchas cualidades muy buenas. Eres un excelente vendedor; podrías vender rocas mágicas si quisieras. —El Sr. Conrad hizo una pausa, ordenando sus pensamientos. —Sin embargo, algunas de esas cualidades pueden usarse de forma incorrecta. Nuestra compañía cree que la integridad de nuestros empleados es importante, por lo que estamos más preocupados con la forma en que se realiza una venta. No me malinterpretes: por supuesto que queremos ver resultados. Pero, queremos que nuestros trabajadores sean honorables, y algo de lo que observé en tus ejercicios me tiene un poco preocupado.

—¿Está diciendo que debo ser más honesto en el trato de mis clientes? —preguntó Rick.

—La integridad es más que solo ser honesto; es ser confiable. ¿Qué tan lejos irías para hacer una venta? ¿Estás dispuesto a exagerar los resultados de tu producto para hacer una venta? ¿Estás dispuesto a exagerar algo solo para cerrar el trato? Tú eres tu compañía, Rick. Si tus clientes perciben alguna falsedad en ti, no comprarán tu producto. Si no pueden confiar en ti, no apoyarán tu compañía ni tu producto.

Rick se mantuvo en silencio, mirando sus manos.

—Una cosa más —continuó el Sr. Conrad—, sé que las mujeres virtuales fueron incluidas como entretenimiento, y en ocasiones ustedes se dejaron llevar un poco. No hay nada malo en disfrutar de un poco de recreación; todos necesitamos tiempo fuera del trabajo. Sin embargo, con estos programas de realidad virtual, es fácil perder el enfoque. Y tu perdiste el enfoque, Rick; no mantuviste el control. Perdiste el enfoque de lo que era real y lo que no era.

Rick bajó la cabeza, avergonzado. La Gabrielle virtual lo había convencido de que algo andaba mal, lo que lo condujo a la escena final.

—Lo que viste esta mañana quizá fue sobreactuado, pero fue un buen recordatorio de que deberías asegurarte de tener la información correcta antes de tomar acción, especialmente acciones legales. Te felicito por ser audaz y extrovertido, y por querer hacer las cosas mejor que antes. El ejercicio con la habitación desordenada te puso un poco desesperado al principio, pero creo que terminaste divirtiéndote — sonrió el Sr. Conrad.

Rick recordó el ejercicio y se dio cuenta de que sí había enloquecido al principio. —Supongo que no fue tan malo —admitió tímidamente—. Recreé una escena de una película con los soldados y los autos, lo que me tranquilizó lo suficiente como para terminar el ejercicio. Fue algo tonto de mi parte.

—Para nada —respondió su jefe, sonriendo—. Puedes trabajar en el departamento creativo de la compañía. Pero por ahora, permíteme darte un premio merecido.

El director ejecutivo sacó una pequeña tarjeta de plástico de su bolsillo y se la dio a Rick. —Esta es una tarjeta de crédito prepaga con un valor de 10.000 dólares. Estoy seguro de que tienes una lista de cosas que deseas, pero espero que conserves algo para el negocio. —El Sr. Conrad se puso de pie para cerrar la sesión informativa. —¡Felicitaciones, Rick! —dijo, extendiendo su mano.

Rick guardó la tarjeta en su bolsillo y también se levantó, tomando la mano de su jefe. —Gracias, Señor.

—Te lo ganaste. Ahora, ve a empacar tus maletas; Gabrielle te está esperando para llevarte a ti y a Joe de vuelta a sus casas. —El Sr. Conrad volvió a sentarse y Rick salió para recoger sus cosas.

—Yo me siento adelante —dijo Rick mientras él y Joe

colocaban su equipaje en el baúl del auto. Joe se encogió de hombros y se sentó en el asiento trasero, mientras Rick se subió al asiento delantero. Gabrielle le sonrió a su copiloto y el auto deportivo se puso en marcha.

El último de los tres se despidió de sus compañeros y luego entró en la cabaña para comenzar su reunión con el Sr. Conrad.

—Will, me siento honrado de tenerte como empleado en mi compañía —comenzó a decir su jefe—. Tú fuiste el único en interesarte de llevar un registro de todas las llaves de cada ejercicio, y completaste la tarea de mencionar la última:

Llave #10: Sé todo esto en la vida real.

—Te mantuviste fiel al espíritu de cada ejercicio; hiciste lo que se suponía que debías hacer y actuaste acorde. Sin embargo —y el Sr. Conrad hizo una pausa, mirando atentamente a su empleado—, hay una prueba extra, una que nadie más ha pasado. Tu actuación ha sido excelente a lo largo de esta semana, y espero que la completes.

La cara de Will mostró su confusión. ¿Una prueba extra? ¿Habían recibido sus amigos una prueba extra también? ¿Habían completado (y fallado) esa prueba sin decirle?

El Director Ejecutivo sacó una pequeña tarjeta

de plástico de su bolsillo y se la entregó a Will. —¡Felicitaciones! Eres el ganador del gran premio. Joe ganó un viaje a Hawái, Rick ganó 10.000 dólares y tu premio es 50.000 dólares.

Will estaba sorprendido: acababa de recibir una tarjeta de crédito con valor de 50.000 dólares. —¡Gracias, Señor!

—De nada. —El Sr. Conrad se levantó, indicando que la reunión había llegado a su fin. Sacó un teléfono celular y lo colocó sobre la mesa. —Puedes llamar a casa si quieres; nos vamos de la cabaña en 10 minutos —dijo antes de salir para darle algo de privacidad a Will.

Cincuenta mil dólares—gané el gran premio, pensó. *Estoy bendecido, entonces ¿por qué me siento un poco inquieto?* Luego recordó algo que su jefe había dicho antes, y una mirada pensativa cruzó su rostro. Tomó el teléfono celular y llamó a su esposa; ella respondió después de que el teléfono sonara dos veces.

—¿Hola?

—Hola, cariño. Estaré en casa en un par de horas. Sí, el retiro fue un poco extraño, pero ya se acabó.

Will cerró los ojos y respiró profundamente; él no quería continuar, pero sabía que no tenía otra opción. —Melody, necesito decirte algo: me dejé llevar por un programa de realidad virtual que tenía una acompañante.

Hizo una pausa, escuchando la pregunta de su esposa.

—No, no fue parte del ejercicio; era puramente para entretenimiento.

Hubo un silencio incómodo.

—Lo sé; fue estúpido —continuó—. La mujer virtual se metió en mis emociones, pero no en mis pantalones. Lo juro, no llegó tan lejos; pero sé que estuvo mal, y lo siento. ¿Me perdonas?

La respuesta de su esposa fue breve, y los hombros de Will cayeron mostrando su pesar.

—Está bien, podemos hablar cuando llegue a casa. Will colgó y colocó el teléfono sobre la mesa. Era obvio que su esposa había sido herida por su confesión. Sin embargo, necesitaba decírselo, pensó. No debería haber secretos en mi vida laboral o en mi vida personal.

—¡Felicidades, Will! Has pasado la prueba extra.

La sonrisa del Sr. Conrad se amplió cuando regresó a la mesa. —Todos los demás hombres que han jugado con los programas para adultos han ocultado el secreto de su pareja; nadie ha sido completamente honesto sobre lo que sucede aquí. —Colocó un fólder sobre la mesa. —Te iba a dar tiempo, pero me agrada que lo hayas hecho tan rápido. Tu integridad te hace un verdadero líder. —El Sr. Conrad abrió el fólder, sacó una hoja de papel y la empujo hacia el otro lado de la mesa.

Will tomó la hoja y leyó el contenido rápidamente. —¿Me está ofreciendo un acuerdo de asociación en la Corporación de Recursos de Vida? —preguntó incrédulo.

—Solo necesito tu firma allí en la parte inferior —dijo el Sr. Conrad con una sonrisa, acercándole a Will un bolígrafo que había sacado de su abrigo—. No tienes que aceptar el puesto, pero espero que lo hagas; trabajando juntos, tú y yo podremos hacer muchas cosas buenas en la compañía.

Sin dudarlo, Will tomó el bolígrafo y firmó. El Sr. Conrad asintió y estrechó la mano de Will.

—Tus cosas ya han sido colocadas en el baúl del carro; podemos irnos de inmediato. —Tomó el fólder con el documento firmado y salió de la habitación.

Will se sentó perplejo en su silla; luego tomó el teléfono celular e hizo otra llamada.

El teléfono sonó varias veces antes de que su esposa contestara.

—Cariño —dijo Will mientras salía de la cabaña—, tengo algo muy importante que contarte.